# КУРОРТНЫЙ РОМАН,
## или Звезда сомнительного счастья

МОСКВА

2005

УДК 82-3
ББК 84(2Рос-Рус)6-4
Ш 59

Оформление серии художника *Ю. Щербакова*

Серия основана в 2004 году

**Шилова Ю. В.**

Ш 59 Курортный роман, или Звезда сомнительного счастья. — М.: Изд-во Эксмо, 2005. — 384 с. — (Криминальная мелодрама).

**ISBN 5-699-07119-9**

Ой, не зря говорят: «Осторожно, мечты сбываются!» Кто бы мог подумать, что невинное желание женщины отдохнуть на море и завести курортный роман может довести чуть ли не до смерти. Не знала об этом и Наталья, которая вместе с дочкой отправилась к давней подруге Катерине в Ялту, чтобы провести незабываемый отпуск, предаться воспоминаниям и покрутить любовь с каким-нибудь преуспевающим красивым и обязательно одиноким мужчиной. Курортный роман превратился в криминальную драму: похищена дочь, погиб любимый... Кто же за всем этим стоит? Неужели снова жизнь заставит делать непростой выбор между дружбой и любовью? Главное — не сделать ошибку!..

**УДК 82-3**
**ББК 84(2Рос-Рус)6-4**

**ISBN 5-699-07119-9**

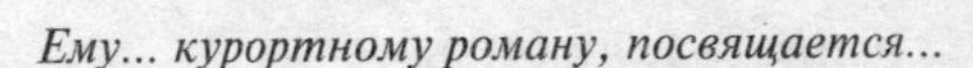

*Ему... курортному роману, посвящается...*

Дорогие мои, любимые и уже ставшие по-настоящему родными людьми читатели. В ваших руках моя любимая книга, которой мне хочется подарить новую жизнь. На протяжении нескольких лет между мной и вами возникло редкостное взаимопонимание. Вы взяли в руки эту книгу, и мне хочется сказать вам спасибо, потому что вы проявили свою солидарность и вместе со мной решили подарить моей книге еще одну, но уже более яркую и насыщенную жизнь. Для меня это очень важно, и низкий поклон вам за то, что вы помогаете превращать мои желания в реальность. Я уверена, что эта книга займет достойное место на вашей полке наряду с моими новыми произведениями. Я не хочу, чтобы мои ранее написанные произведения умирали. Я хочу, чтобы они по-прежнему радовали моих читателей, грели ваши сердца и души. Я бесконечно благодарна вам за то, что вы понимаете, как для меня это важно и как мне это нужно. Ваша поддержка неоценима, и я приложу все свои силы, чтобы никогда вас не разочаровать и как можно чаще радовать вас своими произведениями. Вы — смысл моей жизни. Вы даете мне силы для того, чтобы творить, созидать и любить.

Книга «Курортный роман» мне по-своему дорога, потому что она была написана в тот момент, когда я переживала свой развод... Тогда я еще не понимала и не могла понять, что развод — это новая жизнь, новая любовь, глобальные перемены к лучшему, настоящему и уже не фальшивому, как раньше. Я еще не понимала, что развод — это спасение, это подвиг, потому что во внутреннем резерве каждого из нас находятся силы для того, чтобы начать все сначала. Тогда я собрала всю свою волю в кулак, прекратила собственное самоуничтожение, внушила сама себе, что я поступила правильно, поставив на своей семейной жизни жирный крест, потому что в этой жизни нужно быть либо одной, либо с тем, кто способен тебя оценить.

Этот роман был написан в период моего одиночества, которое в тот момент не было для меня наказанием. Я чувствовала в нем свободу. Я отпустила свое прошлое из своих мыслей и поняла, что мое прошлое не имеет никакого права тянуть меня назад. Мой развод настолько затянулся и меня измотал, что я вдруг поймала себя на мысли, что у меня исчезли приятные воспоминания о тех годах, когда я вила свое семейное гнездо и ежедневно убеждала себя в том, что у меня все хорошо и что так живут все семейные пары. Отсутствие приятных воспоминаний — это один из признаков начинающейся депрессии. Я сама загнала себя в узкие рамки и поняла, что мне как воздух необходима эмоциональная встряска. Я взяла свою дочку, села на поезд, идущий до Симферополя, и поехала в Ялту... Добравшись до Ялты, я увидела ласковое море, гостеприимных людей, потрясающую набережную и безумно красивый город. Дочка тут же бросилась к морю. А я... Я задышала полной грудью и в который раз подумала о том, что развод — это не конец жизни. Это ее начало. Я поняла, что у меня есть еще один повод для самоуважения, потому что у меня хватит сил для того, чтобы перешагнуть через личную драму, не сломаться и пойти по этой жизни с высоко поднятой головой дальше. Любая боль проходит, отходит на задний план и исчезает совсем. Этим вечером ялтинское небо озарило множество грандиозных, незабываемых салютов. Народ собрался на набережной, громко кричал «Ура», хлопал в ладоши и танцевал в такт доносившейся из колонок музыки. Рядом со мной были люди. Много людей, и я поняла, что я не одна. Я посмотрела на свою дочку, которая как завороженная смотрела на небо и громко смеялась. В тот момент я подумала о том, что мир очень огромный и что его нельзя закрыть лоскутком моей несложившейся, неудачной семейной жизни. И если кто-то не оправдал моих надежд, то это не означает, что все рухнуло в одночасье. Все только начинается...

Курортный роман... Ночные прогулки по пляжу, наблюдение за звездами и шанс нового, пусть даже мимолетного знакомства. Я уверена, что почти у каждого из нас в этой жизни был свой курортный роман, и пусть он будет для нас нашим секретом, теплые воспоминания о котором мы пронесем через всю свою жизнь. Говорят, что после курортного романа женщина выглядит намного лучше, чем после десятидневного похода к косметологу. Появляется блеск в глазах, и этот блеск не способен нам обеспечить ни один, даже самый профессиональный, косметолог. Курортный роман дает нам невиданный всплеск эмоций и придает нашей жизни новые краски и потрясающие ощущения праздника. На курорте, как правило, есть слишком много мужчин-охотников, но в последнее время все поменялось. Женщины взяли инициативу в свои руки и отправились на охоту сами. Я не знаю, с чем это связано. Возможно, с тем, что наши мужчины ленятся даже просто ухаживать. Поэтому женщины едут на курорты, как на настоящую охоту, отлавливая и ставя капканы на самых интересных, не столь ленивых и еще пока активных мужчин. Курортный роман может превратиться в наркотик. Мне приходят письма от женщин, которые уже не могут без так называемой дозы и тратят все свои сбережения на многочисленные поездки за утраченными иллюзиями. Но об этом не сейчас. Об этом вы прочитаете в моем новом романе, который рассматривает взаимоотношения наших женщин, приезжающих за своим кусочком счастья в восточные страны, и горячих восточных мужчин, виртуозно владеющих техникой покорения женских сердец посредством большого словарного запаса невероятно красивых комплиментов и моментальных обещаний любви, преданности, а быть может, даже женитьбы.

Как правило, курортный роман заканчивается на курорте. Наверно, именно поэтому он похож на фильм, который прокручивают в режиме быстрой перемотки. Если в реальной жизни у мужчины и женщины есть время для того, чтобы получше узнать друг друга, то на курорте этого времени нет. Все слишком ограничено. События развиваются с завидной стремительностью.

Иногда бывают и исключения из правил, и курортный роман может продолжиться и после возвращения с курорта. Я сама видела пары, у которых курортный роман растянулся на многие годы, длиною в жизнь. Это бывает крайне редко, и все же это бывает. Мне захотелось, чтобы это произошло с героями моего романа, чтобы мои читатели знали, что в любых отношениях всегда есть надежда... Хотя в жизни зачастую все происходит совсем по-другому. У судьбы на это свои сценарии.

И все же, когда я отвечаю на письма своих читательниц и высказываю свое мнение по этому поводу, я говорю о том, что на курорте лучше не строить иллюзий и не смотреть на встретившегося вам мужчину как на последний шанс в вашей жизни. Это далеко не последний шанс, потому что таких шансов у вас еще будет целое множество. Главное не пропустить и хорошо разглядеть того, кто вам действительно нужен. Если женское сердце свободно, то я не вижу плохого в легком, ничего не обещающем и ни на что не претендующем недолгом романе. На курорте есть ощущение вседозволенности, вызванное приливом новых эмоций. Некоторые читательницы пишут о том, что они не пускают своих мужей одних на курорт, а вместе не могут поехать, потому что не позволяет работа. Когда жены получают долгожданный отпуск, мужья, в свою очередь, не пускают их. Я считаю, что это эгоизм. Любимому человеку нужно давать сменить обстановку и отдохнуть от работы, и если уж он и захочет вам изменить, то он сможет это сделать, не выезжая к ласковому солнцу и морю. На курорте больше соблазнов, возразите вы мне, и будете правы. На курорте действительно много соблазнов, но курорт хорошо проверяет истинные чувства на прочность. Если их нет, то мужчину вряд ли что-то остановит, а если они есть, то он будет по вам тосковать и думать о том, что следующий отпуск нужно спланировать так, чтобы вы обязательно поехали вместе.

Курортный роман — это маленькое авантюрное приключение в длинной жизни, и никогда не нужно на нем зацикливаться. Это наваждение, потому что зачастую, глядя на мужчину, встретившегося нам на курорте, нам кажется, что мы его знаем много и много лет. Даже прогулявшись один вечер на берегу моря под яркими звездами, мы уверены, что знаем про нашего избранника все или почти все. В городе у моря нам не хочется ни о чем думать. Нам хочется просто расслабиться и отдаться навалившемуся на нас внезапному чувству. Мы не спрашиваем себя о том, что же будет дальше. Мы понимаем, что мы во власти того, что происходит сейчас, а дальше хоть трава не расти. Многие из нас считают, что страстные поцелуи на берегу моря ничего не изменят в нашей размеренной и степенной жизни, но зачастую случается наоборот. Любой курортный роман похож на настоящее сумасшествие. Неестественная страсть и невообразимый полет. Некоторые мои читательницы пишут мне о том, что на курорте они словно рождаются заново, что впервые за многие годы спячки в них пробудилась ЖЕНЩИНА, что их мужья не могут дать им и сотой доли того накала страстей, какой может дать встретившийся на отдыхе мужчина.

Одна моя знакомая призналась о своем курортном романе мужу, потому что считала, что она нарушила перед ним обязательства. Она искренне надеялась, что он ее поймет и простит, что это было наваждение. Но произошло самое страшное. Муж ничего не захотел понимать, сказал, что она его предала, и подал на развод. Моя знакомая разошлась с мужем, впала в депрессию и почти ежедневно продолжает набирать телефонный номер своего курортника, слушая монотонное «Данный телефон в сети не обслуживается». В ее воспоминаниях осталось южное солнце, пляж, холодное шампанское и горячий мужчина, который говорил такие безумные слова, что голова просто шла кругом. На курорте она словно помолодела на несколько лет, а после того, как рассказала мужу про свой курортный роман и пережила развод, значительно сдала и моментально постарела. Это обратная сторона курортного романа, которая говорит о том, что если вы считаете, что плох тот курорт, где нет курортного романа, и вы нуждаетесь в маленьком приключении, то позаботьтесь потом, чтобы это маленькое приключение не переросло в большое и не разрушило спокойную жизнь ваших близких. Поэтому, прежде чем завести курортный роман, нужно хорошенько подумать о его последствиях. Зачастую на курорте происходят просто невероятные вещи. Самая верная и преданная жена, вырываясь одна на курорт, пускается во все тяжкие, а увалень муж, годами лежащий на диване, приезжая на курорт, становится пылким и страстным любовником.

Курортный роман... Он прекрасен, если ваше сердце свободно и вам не за что чувствовать вину перед тем, кто вам по-настоящему дорог. Жаркое солнце, прохладная вода и заинтересованные взгляды мужчин. Вы убеждаете себя в том, что в этом нет ничего страшного, если хотя бы один раз в жизни вы сможете окунуться в омут с головой. И все же, несмотря на обилие нахлынувших на вас эмоций, нс принимайте страсть за любовь. Страсть — это состояние временное. Рано или поздно вспышка заканчивается. Главное, чтобы всепоглощающее чувство, возникшее на курорте, не поломало в дальнейшем вашу жизнь и ваше благополучие. Это всего лишь курорт, который, увы, заканчивается.

Итак, я поселилась в Ялте, в симпатичном доме, недалеко от набережной, уложила дочку спать, взяла тетрадь, ручку, тогда я еще не пользовалась компьютером, и стала писать свой курортный роман. А каким он получился, судить только вам. Возможно, кто-то взял эту книгу в первый раз и начнет переживать события этого романа впервые. А кто-то читал эту книгу ранее, и она ему полюбилось. Вы взяли ее в руки, потому что вам понравилась эта книга в новом оформлении, вы захотели перечитать полюбившиеся страницы еще раз и поддержать меня в знак солидарности, потому что знаете, как для меня это важно и просто необходимо. Спасибо, что вместе со мной вы помогли мне подарить этой книге новую жизнь.

Возможно, в вашей жизни уже был курортный роман, а быть может, он еще будет. Психологи говорят, что он намного ярче и эмоциональнее, чем служебный. Хотя мне тяжело рассуждать об этом, потому что в моей жизни никогда не было служебных романов, и я понятия не имею, что это такое. А вот курортный роман случался в жизни почти каждой женщины, и если даже он у вас еще не случился, то никто не застрахован от этих самых случайностей, и вполне вероятно то, что он сможет у вас произойти. Если ваше сердце свободно, но в нем еще слишком много обид и разочарований, то курортный роман поможет вам реабилитироваться и повысить собственную самооценку. Если вы связаны семейными узами, но чувствуете, что устали от монотонности и обыденности и вам катастрофически, как глоток свежего воздуха, необходимо маленькое авантюрное приключение, дерзайте, только не забудьте побеспокоиться о внутреннем мире и душевном спокойствии ваших близких. Не забывайте, что зачастую курортный роман заканчивается именно на курорте, не стройте пустых иллюзий, не смотрите на мужчину так, словно после отношений, сложившихся на курорте, он должен отдать в ваши цепкие ручки свою судьбу, начать с вами жить и умереть в один день.

Хотя... В любом правиле бывают исключения. Недавно мне встретилась молодая пара, которая когда-то жила на одной московской улице, почти в соседних домах. Эти двое никогда не видели друг друга раньше, познакомились в Коктебеле и поняли, что они половинки единого целого. Каково же было их удивление, когда они узнали, что жили совсем рядом и даже не подозревали о существовании друг друга. Эти двое поженились. Их курортный роман закончился браком, так что у хитрой злодейки судьбы всегда свои планы, и она пишет самые непредсказуемые сценарии. Оказывается, для того, чтобы двое молодых людей, живущих недалеко друг от друга, смогли встретиться и связать свои судьбы, они должны были отправиться на курорт и найти друг друга среди сотен случайных лиц.

Но я не боюсь повториться о том, что курортный роман довольно часто не имеет продолжения. Такова жизнь, и таковы ее правила. Мужчина, который галантен и притягателен на курорте, не всегда так же галантен и притягателен в повседневной жизни. Система «все включено» облегчила нашим мужчинам ухаживание на курортах за женщинами, но об этом не сейчас, об этом позже, в новом романе.

А сейчас роскошная Ялта, вечерняя музыка, многочисленные художники и уличные артисты, а также отдыхающие от будней люди, прогуливающиеся по набережной...

Устраивайтесь поудобнее, и приятного вам чтения, а я всегда буду мысленно с вами, потому что мне безумно интересно пережить события этого романа заново.

*ЛЮБЯЩИЙ ВАС АВТОР*
*ЮЛИЯ ШИЛОВА.*

## ГЛАВА 1

Посмотрев на Димку задумчиво, я улыбнулась и подняла свой бокал. Димка тяжело вздохнул и ласково произнес:

— За нас.

Я, не раздумывая, согласилась и допила содержимое своего бокала до дна.

Димка навалился на приготовленный мною ужин, а я, подперев свою полупьяную голову руками, уставилась на его густую, но уже заметно поссдсвшую шсвслюру. Я и нс замстила, когда он поседел, а на лице появилось множество мелких морщин. Может, это случилось вчера, а может, месяц назад, а может быть, для этого потребовались годы. Да... Возраст украшает мужчину. С возрастом мужчина становится более интересным, мудрым, рассудительным. Я подвинула к Димке поднос с печеной курицей:

— Давай ешь, а то все остывает.

— Но я же не слон. Ты всегда столько наготовишь, что и мамонту не осилить.

— Мамонту эта курица на один зуб. Ты ведь у нас холостяк.

— И что?

— Ничего. Просто когда я вижу какого-нибудь холостяка, мне сразу хочется его накормить, — звонко рассмеялась я и закинула ногу за ногу.

Мы встречаемся не так часто, как нам хотелось бы, но перезваниваемся почти каждый день. Жизнь расставила все по своим местам, из некогда пылких любовников мы превратились в преданных друзей. Возможно, такой момент бывает у многих, когда двое изо дня в день лежат в одной кровати и вдруг понимают, что им стало скучно. Просто скучно, и все. Именно так произошло и у нас. Обычно после такого поворота событий наступает разрыв, но мы решили остаться друзьями. С тех пор прошло много лет, а мы по-прежнему вместе. Я живу с ощущением того, что в моей жизни есть Димка. Он всегда рядом, всегда под рукой и бросится на помощь в любую минуту, если мне будет хоть немного плохо. Димка — мой преданный друг, моя подруга и мой самый близкий человек, на которого я всегда могу положиться.

Несколько месяцев назад я развелась с мужем, и теперь мы с моей трехлетней дочкой живем одни. Все, что осталось у меня от этого нелепого брака, — это сумасшедшее чувство усталости и состояние долгожданного освобождения. Возможно, я просто устала жить с нелюбимым человеком. Несколько лет я пыталась к нему привыкнуть, но в конце концов поняла, что обмануть можно кого угодно, но только не себя саму. Говорят, одиночество — страшная штука, но я так и не смогла этого ощутить. Я просто упиваюсь одиночеством и чувствую себя вполне комфортно. Я устала от семейной жизни и уже давно поняла, что брак подавляет в человеке индивидуальность и заставляет играть по чужим правилам. Самое ужасное то, что эти правила довольно часто замешаны на самых низких вещах. Загруженная семейной жизнью женщина не может оценивать реальность объективно и постоянно зависит от человека, который находится рядом. Я никогда не воспринимала брак как норму. Наверно, я просто другая, не похожая на остальных женщин, мои взгляды на жизнь противоречат общепринятым. Я не люблю свою нетерпимость и пытаюсь стать лояльной, но у меня ничего не выходит. Я пытаюсь смотреть на понравившегося мне мужчину как на близкого по духу человека, а потом уже как на возможного сексуального партнера, но у меня получается наоборот. Все мои симпатии обуславливаются физиологией.

— Наташ, ты о чем задумалась? — перебил мои мысли Димка.

— Да так, о своем, о женском.

— У тебя появились секреты?

— Ты же знаешь, что у меня никогда не было секретов. По крайней мере, от тебя. Завтра сажусь в самолет и лечу в Симферополь. Мне просто необходимо развеяться.

— А может, все-таки поедем вместе? — Димка посмотрел на меня такими грустными глазами, что мое сердце заныло, но я знала — сдаваться нельзя.

— Нет. Ты же знаешь, в Тулу со своим самоваром не ездят.

— Получается, что я самовар? — обиженно спросил Димка.

— Получается так. Ну сам подумай, зачем я поеду в Крым с тобой, если я в Москве вижу тебя почти каждую неделю и слушаю по телефону каждый день по нескольку часов?

Димка опустил голову и стал медленно ковырять вилкой в салате. Я подвинула свой стул поближе и слегка приобняла его за плечи.

— Ну, не обижайся. Ты же знаешь, что на меня нельзя обижаться. Я тебе позвоню. Сразу, как только приеду, клянусь. Если мы поедем вместе, ты будешь моим тормозом.

— Каким еще тормозом?

— Будешь сковывать мои движения и не дашь мне развернуться так, как я этого хочу.

— И как ты собралась разворачиваться?

— Я хочу найти ЕГО и закрутить с ним курортный роман.

— Кого ЕГО?

— Интересного, преуспевающего, красивого и одинокого.

— Ага, держи карман шире. Они на курортах все убежденные холостяки, а у самих целая куча детей и вечно недовольные жены. На время отпуска они все одинокие, но, как только курорт закончится, все сразу становятся семейными.

— Так в том-то и вся прелесть, — захлопала я в ладоши. — Ведь это же будет курортный роман, поэтому он и должен происходить только на курорте и не иметь продолжения. Это будет флирт, сумасшедшая страсть и душераздирающие признания...

— А потом?

— В смысле?

— Что будет потом?

— Ничего, — пожала я плечами. — Разве у курортного романа бывает продолжение?

— Странная ты женщина.

— Конечно, именно поэтому ты ко мне и привязался. Разве роман может быть на всю жизнь?

— Может, — задумчиво сказал Димка и пристально посмотрел мне в глаза.

Я отвела взгляд и сказала довольно серьезно:

— Мы с тобой просто друзья, и не надо делать двусмысленных намеков. Если мы когда-то лежали в одной постели, это не значит, что сможем оказаться в ней снова.

— Почему?

— Потому, что я не хочу тебя как мужчину, — резко сказала я и почувствовала, что перегнула палку. С минуту помолчав, я поцеловала Димку в щеку: — Извини.

— Ничего. Я уже привык.

— Ну, Дим, ну давай не будем ругаться. Ну что мы с тобой как дети малые, ей-богу. Завтра я уезжаю и оттуда позвоню.

— Ну почему именно в Крым?

— Потому что у меня там подруга. Я ее не видела уже тысячу лет.

— Я ее знаю?

— Нет.

— Кто она?

— Она интересная женщина, растит двоих детей, работает певицей в ресторане гостиницы «Интурист».

— Она живет в Симферополе?

— Нет. Она живет в Ялте. У нее небольшой домик на берегу моря. Она умна, красива и одинока.

— Если она такая умная, то почему она поет в ресторане?

— А по-твоему, в ресторане поют одни дураки? Между прочим, очень много известных певцов начинали свою творческую деятельность именно с ресторана.

— Ты хочешь сказать, что твоя подруга будет когда-нибудь известной?

— Нет. Она не хватает звезд с неба. Она просто поет и зарабатывает этим себе на жизнь. Своим голосом она кормит двоих несовершеннолетних детей.

— А где же ее муж?

— Там, где и мой. Не всем женщинам дано жить с мужчиной, особенно сильным.

— Тогда какого черта она нарожала двоих детей?

— Она не нарожала. Она родила их для себя. У нее нормальная, полноценная семья, и она ни у кого не просит помощи. И вообще, Димка, ты становишься невыносимым. Мне кажется, ты просто стареешь, — раздраженно сказала я и посмотрела на пустой бокал. — Лучше налей выпить.

Димка наполнил бокалы и сказал обиженным голосом:

— Я не старею, просто ты стала чересчур эмансипированной.

— Ты стареешь, да и я, наверно, тоже, — постаралась улыбнуться я и погладила Димку по голове. — У тебя вся голова седая.

— Скоро и у тебя такая будет.

— Не будет. У меня целый шкаф краски для волос, — громко рассмеялась я и сделала глоток шампанского.

Димка нервно забарабанил пальцами по столу и растерянно спросил:

— Так, и что там у нас насчет курортного романа?

— Все нормально. Самое главное, что я хочу вывезти ребенка к морю. Дочке необходимо подышать морским воздухом. Нужно уметь совмещать полезное с приятным. Курортный роман будет происходить параллельно. Ты же знаешь, что я без моря вообще не могу. Я родилась и выросла на море. Я самая настоящая морская девушка. Я ненавижу все сладкое и просто обожаю соленое.

— Ты не ответила на мой вопрос. Почему твой курортный роман не будет иметь продолжения?

— Потому, что если мужчина хорош на курорте, то это не значит, что он будет так же хорош в повседневной жизни. Курортный — это значит мимолетный.

— Ну а если ты в него влюбишься?

— Мне же не семнадцать лет! Я возьму дочку, пойду с ней на пляж и буду ЕГО искать.

— И какой он должен быть?

Допив шампанское, я закурила и мечтательно произнесла:

— Он должен лежать на дорогом полотенце в сексуальных плавках ярко-красного цвета, исключительно подчеркивающих его мужское достоинство, и разговаривать по мобильному телефону. Его мобильник должен практически не замолкать, потому что он директор какой-нибудь крупной компании и прилетел в Ялту для того, чтобы попарить свою задницу на жарком солнышке. Море звонков не даст отвлечься от работы и переключиться на отдых. Ему нужен допинг, и этим допингом стану я. У него сногсшибательная фигура и накачанный торс, потому что каждый день он занимается в тренажерном зале. Он всегда в прекрасной форме и тщательно за собой следит, потому что хочет мне понравиться и хочет, чтобы я потеряла от него голову.

— А ты разве умеешь терять голову? — перебил меня Димка.

— Конечно. Постоянно! Иногда я так сильно ее теряю, что ищу целый месяц. А когда нахожу, беру ремень и вправляю свои мозги на место. Ну а если я ее не потеряю, то заделаю его так, что уж он-то потеряет ее точно. Я пущу в ход весь свой артистизм, все свои женские хитрости. Ему будет хана. Это я тебе гарантирую.

— Тебе надо играть в театре.

— Зачем? Мне в жизни всего хватает. Жизнь — это сцена, и каждый день я разучиваю все новые и новые роли. Так вот, я тебе не дорассказала про своего курортника. На покрывале должна лежать открытая банка черной икры.

— Зачем? — вытаращил глаза Димка.

— Затем, что он без нее не может. Он ест ее каждый день по нескольку банок.

— Он случайно не лопнет?

— Не лопнет. От черной икры еще никто не лопнул.

— Ну кто же на пляже в такую жару будет есть черную икру?!

— Он и будет. Прямо столовой ложкой. Я же тебе уже объяснила, что это привычка, но почему ты такой непонятливый! Чего ради человек должен отказаться от своих привычек?! Пусть ест, если ему хочется. Я буду идти на запах икры как завороженная и постелю полотенце рядом с ним.

— А если там не будет места? — вновь перебил меня Димка.

— Расчищу! — воинственно ответила я. — Ради такого мужика я полпляжа отодвину и лягу рядом. Постелю свое полотенце, разденусь и останусь в тоненьком сексуальном бикини, таком тоненьком и откровенном, что его глаза вылезут из орбит. Но тут зазвонит мобильник, и его вновь начнут терзать его бестолковые сотрудники. А я тем временем положу дочку рядом, достану ее игрушки и скину бюстгальтер, чтобы он смог по достоинству оценить мою грудь.

— Ну а как же люди, которые будут загорать рядом с тобой?

— А что мне до людей?

— Они будут смотреть на тебя осуждающе.

— Черта с два! Для такого мужика можно не только лифчик снять, но и плавки. Сейчас полпляжа без лифчиков загорает, и ничего. Придешь и пялишься на теток, которые поснимали лифчики и не комплексуют по поводу своих обвисших лепешек. А у меня грудь сам знаешь какая, как на картинке, видел, и не раз.

— Так это когда еще было!

— Будешь себя хорошо вести, еще как-нибудь покажу. Так вот, слушай дальше. Этот Ален Делон выключает свой мобильник и смотрит на меня с неподдельным интересом, а я не теряюсь и начинаю брать быка за рога и прошу его починить детскую поломанную игрушку. Мой новый знакомый кидается по первому зову, и вскоре игрушка принимает первоначальный вид. А затем он улыбается своей голливудской улыбкой, и я вижу в его зубах мелкие кусочки от копченой осетрины.

— А это еще зачем? — Димка громко засмеялся.

— Не вижу ничего смешного. Что может быть смешного в том, что человек каждый день ест копченую осетрину?! Просто он еще не успел купить зубочистки и ее оттуда вытащить. Так даже эффектнее. Человек открыл рот, и сразу видно, чем он питался. Я бы перевела взгляд на банку черной икры, а он бы достал вторую столовую ложку и протянул бы ее мне. Мол, ешь. У меня уже от нее изжога.

— А ты?

— Ну, я бы пригубила. Меня не каждый день черной икрой угощают. Сам знаешь, после этого гребаного замужества я до сих пор не могу отойти. Мне сейчас не до шику. А затем я бы перевела взгляд на его дорогие плавки и сказала, что они ему очень к лицу.

— К какому еще лицу?

— К самому обыкновенному. Сам знаешь, что у мужика две головы, а ежели у него две головы, то это значит, что у него должно быть два лица. Новые русские вообще любят, когда их хвалят. У них у всех мания величия. Они думают, что они самые неотразимые, самые лучшие и самые неповторимые. Так вот, я бы поинтересовалась, где он прикупил столь интересные плавки, сосредоточив взгляд на его выпи́рающем мужском достоинстве. Он бы немного смутился и сказал, что купил их на прошлой неделе в Майами, куда летал по делам своей фирмы. А еще он бы сказал, что у него их полный чемодан и что они все разного цвета. Он их надевает по очереди. А затем он бы арендовал яхту, и мы бы отправились с ним в морское путешествие. После прогулки мы бы поехали в самый дорогой ресторан и наслаждались какой-нибудь изысканной кухней. Флирт бы перешел в умопомрачительную страсть, а затем финал и возвращение домой.

Димка достал платок, вытер пот со лба и перевел дыхание.

— Ну ты и фантазерка. Напридумывала себе черт знает что. Ты хоть понимаешь, куда едешь?

— Конечно. В Ялту.

— Так вот, будет тебе известно, что в Ялте одни хохлы. Там нищета жуткая. Кого ты себе найдешь?! С твоими запросами нужно ехать на Канары. Там таких курортников — пруд пруди!

— Я не хочу на Канары. Я тысячу лет не видела свою подругу. Я хочу услышать, как она поет. Ты даже не представляешь, как она талантлива!

— Ну и почему тогда твоя подруга поет в ресторане, а не на большой сцене?

— Потому что она повязана по рукам и ногам. Потому что в наше скотское время всем глубоко наплевать на одаренных и талантливых людей.

— Я все понимаю, я только не понимаю одного: кого ты собралась искать в Ялте?

— Нового русского хохла! — громко крикнула я и ударила кулаком по столу. — И вообще, у меня нюх хищницы. Я вижу мужика за версту. Я буду идти на запах черной икры как загипнотизированная. Я обойду все ялтинские пляжи, и я его найду. Потому что он уже там, я это чувствую.

— Я в этом не сомневаюсь, — грустно сказал Димка и принялся за курицу.

Я улыбнулась и уже в который раз погладила Димку по его седой голове. Затем наклонилась к нему поближе и сказала заговорщически:

— Димка, а может, ты меня ревнуешь?

— Можно я не буду отвечать на этот вопрос? — смутился он.

— Не надо меня ревновать. Мы же друзья, и нам так здорово вместе. Я не могу кому-то принадлежать. Я должна принадлежать только себе. У меня есть дочка, мы с ней дружная и прекрасная семья. Правда, в нашем нелепом государстве само понятие «семья» трактуют как-то странно. Представляешь, я звоню в агентство, чтобы заказать билеты в Симферополь на себя и на дочку. В общем, я их заказала и спрашиваю, мол, есть скидка на семейный тариф? Мне говорят, что есть. Ну я и жду скидки, и тут слышу совершенно чудовищную фразу: «Семья должна состоять из трех человек — матери, отца и ребенка». Я пожимаю плечами и растерянно говорю, что, к сожалению, не у всех жен есть мужья и не у всех детей есть отцы, разве я вместе со своей дочкой не являюсь семьей? Ну и совершенно кошмарный ответ, что для неполноценных семей скидок нет. Это ж надо такое придумать! Вроде бы на дворе демократия, а совковые комплексы прочно засели в сознании наших людей. Прямо бред какой-то.

Димка нахмурил брови, разлил остатки шампанского и произнес тост:

— Ну что ж, давай выпьем за твой курортный роман. Будем надеяться, что твой придуманный новорусский хохол уже парит ласты под жарким ялтинским солнышком в плавках, привезенных из Майами на прошлой неделе.

— За нового русского хохла! — восторженно согласилась я и допила свой бокал до дна. Затем поправила упавшую прядь волос и стала рисовать на крышке стола какие-то незамысловатые узоры.

— Знаешь, иногда я вспоминаю свою самую первую поездку в Ялту. Я тогда была совсем глупой, несмышленой девчонкой. Однажды почувствовала себя как труп и поняла, что меня может воскресить только море. У меня не было денег на жилье, еду, но я не очень сильно комплексовала по этому поводу. Думала, что это не главное. Подцеплю какого-нибудь буржуя, раскручу его на гостиницу и ресторан, а затем — полный вперед.

— Ну и что, подцепила?

— Не перебивай. Я приехала в Симферополь на поезде, закинула сумку в камеру хранения и села на автобус до Ялты. Хожу по пляжу и тяжело вздыхаю. Кругом одни семейные парочки да мамаши с маленькими детьми. Выбора вообще никакого нет. Ну, думаю, невезуха. Прямо не отдых, а сплошные мытарства. Вдруг вижу одинокого мужичка, читающего какую-то книгу. На вид около сорока лет. В меру упитанный. У меня глаз нормально наметан. Я сразу почуяла, что он утомлен не только солнцем, но и одиночеством. Я тут же решила идти на абордаж. Расчистила рядом с ним площадку, не обращая внимания на грубые реплики семейных парочек, которым пришлось изрядно подвинуться, и в одних купальных трусиках легла на полотенце. Самое главное в тактике захвата — умение выждать паузу и не нападать с первой минуты. В общем, не прошло и десяти минут, как этот мужик стал засыпать меня разными вопросами. Надо обставить дело так, чтобы мужик осознал, что атаку производит он, а не ты. Я сделала невинное лицо и, показывая всем своим видом, что это ужасно неприлично, согласилась пойти с ним в ресторан. Я же прекрасно понимаю, что он женат и у него дети, что человек вырвался из семейных уз и просто одурел от свободы. Затем он снял мне номер в гостинице и оказался сумасшедшим любовником.

— А что было дальше?

— Ничего. Это же курортный роман. Я уже устала говорить тебе о том, что курортный роман не имеет продолжения. Он оставил мне номер своего мобильника, но я как нормальная, здравомыслящая девушка ему, естественно, не позвонила.

Только я успела это сказать, как раздался пронзительный звонок в дверь.

## ГЛАВА 2

— Ты кого-нибудь ждешь? — настороженно спросил Димка.

— В общем-то нет. Может, соседка за солью пришла?

— А почему именно за солью? Она что, в магазин не ходит?

— Ну, это я так, образно говорю. Обычно говорят, что соседи приходят за солью.

Я включила видеокамеру. На лестничной клетке стоял знакомый молодой человек и переминался с ноги на ногу. Уж кого-кого, а его мне хотелось видеть меньше всего на свете. Тяжело вздохнув, я посмотрела на подошедшего ко мне Димку растерянным взглядом и почесала затылок.

— Кто это? — спросил он. — Твой новый поклонник?

— Даже не знаю, как тебе объяснить... Так, один знакомый. Крайне неприятный тип.

— Да ладно, говори, чего уж там.

— Позже, — буркнула я себе под нос и вышла

на лестничную клетку. Закрыв дверь поплотнее, я презрительно посмотрела на этого знакомого и сквозь зубы произнесла:

— Послушай, какого черта тебе здесь надо? Я же сказала еще в прошлый раз, чтобы ты не смел сюда заявляться.

Молодой человек опустил глаза:

— Я хочу, чтобы наши отношения имели продолжение. Я уже говорил, что могу повторить прошлую ночь за бесплатно.

— Только не это, — всплеснула я руками. — Ни за платно, ни за бесплатно! Я не хочу тебя видеть, я ничего не хочу о тебе знать, я даже не хочу о тебе вспоминать!

— Почему? Мне показалось, что нам было неплохо...

— Вот именно — показалось! Знаешь, какое чувство я испытывала после нашей с тобой ночи?

— Какое?

— Грязи и чудовищного разврата.

— Я подумал, что тебе понравилось...

— Ты ошибся, милый. А теперь у меня просьба. Садись в лифт и уматывай из моего дома на все четыре стороны.

— Я никуда не пойду. Я хочу отдать тебе твои деньги и остаться с тобой.

— Мне не надо ни этих денег, ни тебя самого. Проваливай!

Закрыв за собой дверь, я вновь подошла к видеокамере. Молодой человек трясущимися руками пытался прикурить сигарету. Я закусила губу:

— Вот, сволочь, не уходит. Ты даже не представляешь, какой он настырный. Теперь так и будет сидеть всю ночь за дверью. Господи, как же нам его отвадить?

— Кто это? — уставившись на монитор, спросил Димка.

— У меня даже язык не поворачивается сказать, — смешалась я.

— Говори, я уже привык к твоим сюрпризам. Ты женщина, от которой можно ожидать все, что угодно.

— Это раб, — глухо сказала я, продолжая смотреть на монитор.

Молодой человек присел на корточки и оперся о дверь.

— Какой еще раб? — опешил Димка.

— Самый обыкновенный раб, — сквозь зубы процедила я. — Таких рабов полные фирмы досуга. Ты же прекрасно знаешь, что я одинокая, разведенная женщина и что мне очень тяжело обходиться без секса.

— Но ведь тебе же мужчину найти — раз плюнуть!

— О нет, только не это. Я еще не готова к тому, чтобы встречаться с мужчиной. Я так от них устала, что просто упиваюсь своим одиночеством. Мне однажды так захотелось секса, что просто не передать словами. В общем, я позвонила в фирму досуга и заказала себе профессионального раба.

— Почему именно раба? — округлил глаза Димка.

— Потому что мне хотелось унизить мужчину, — призналась я. — Потому что мне не хотелось разыгрывать из себя влюбленную женщину, охать, стонать и играть в любовь. Мне хотелось заказать какого-нибудь гада и поиздеваться над ним по полной программе.

В общем, открыла первую попавшую газету, а там объявление такого рода: —«Молодой, симпатичный раб ищет свою госпожу для того, чтобы доставить ей массу удовольствий и незабываемых впечатлений. Гарантирую абсолютную покорность, здоровье, тайну и исполнение всех желаний и капризов. Люблю все неординарное. Полное подчинение». Ну, я взяла и позвонила. Поиздевалась... Только сам видишь, какие теперь последствия.

— Ты сумасшедшая. И что же было у вас?

Я залилась краской и опустила глаза.

— Не прошло даже часа, как он ко мне приехал. А потом... Потом, сам догадываешься, что было дальше. В общем, когда все кончилось, он предложил мне встречаться совершенно бесплатно. Естественно, я выпроводила его за дверь и сказала, что больше не нуждаюсь в его услугах.

Он стал надоедать мне звонками по телефону и даже предложил вернуть деньги, которые я ему заплатила.

— И сколько ты ему заплатила?

— Сто долларов.

Димка присвистнул и покрутил пальцем у виска:

— У тебя что, много денег?

— Нет. Ты же знаешь, после развода я в дерьмовом положении. Но ведь на сексе нельзя экономить...

— Могла бы попросить кого-нибудь из своих.

— Например?

— Например, меня. Я бы тебе все сделал совершенно бесплатно. Хоть каждый день.

Я села на пол, поджала ноги и истерично рассмеялась. Димка сел рядом и нервно закурил.

— Тебе кто-нибудь говорил, что ты ненормальная? — наконец спросил он.

— Я слышу об этом каждый день. Дима, ну это первый и последний раз в жизни. Мне просто хотелось узнать, как это все бывает.

— Ну и еще тебе хотелось унизить мужчину.

— Это тоже немаловажный фактор.

— Могла бы унизить и меня.

Я посмотрела на Димку с грустью, смахнула выступившие слезы и произнесла тихим голосом:

— Тебя я унизить не могу.

— Почему?

— Потому что ты у меня единственный. Знаешь, так здорово, что наши отношения приняли новое качество. Мы просто друзья, и нам так легко вместе. У меня нет никого ближе тебя.

— Но ведь много лет назад мы были страстными любовниками и нам было довольно комфортно. Что же произошло?

Я пожала плечами:

— Наверно, мы оба поняли, что слишком далеко зашли. Довольно часто в жизни бывает именно так: двое людей доходят до той грани, когда им надо или жить вместе, или разбегаться...

— Но мы же не разбежались...

— В том-то вся и фишка! Мы поняли, что можем остаться вместе, но только в качестве друзей. Да и вообще, зачем ворошить прошлое.. Что было, то прошло, а то, что прошло, уже не вернешь.

— Но ты ведь тогда вообще исчезла, не оставив ни записки, ни письма. Я искал тебя долгих два года. Можно было хотя бы объясниться.

— Дим, ты знаешь, что я никогда не объясняюсь. Я просто ухожу, исчезаю, и все. Бог с ним, с этим прошлым. Давай лучше подумаем, что нам делать с этим рабом.

— А что мы должны с ним делать?

— Нужно его как-то отвадить.

— Господи, у него хоть имя есть?

— Есть. Костя.

— Тебе было с ним хорошо?

— Наверно. Только утром мне стало как-то паршиво. Какое-то дикое ощущение грязного разврата. Ровно в пять утра я вытолкала его за дверь. А затем он начал меня преследовать. Я позвонила в его фирму досуга и стала возмущаться насчет ее гребаных сотрудников. Это где же такое видано! Покупаешь на одну ночь, а затем черт знает сколько времени не можешь отделаться. Непонятно, что у них там за порядки. Прямо никакой дисциплины!

— А в фирме что сказали?

— В фирме мне принесли извинения и сказали, что он будет уволен. Только от его увольнения мне ни жарко ни холодно. И почему у меня в жизни все не так, как у других людей...

— Наверно, оттого, что другие люди не заказывают себе рабов.

Я пропустила последнюю Димкину фразу мимо ушей, потому что в голову мне пришла замечательная идея. Я пристально посмотрела на Димку.

— Ты что так смотришь? — подозрительно спросил он.

— Димка, я, кажется, знаю, как нам отвадить этого ненормального раба.

— Ну и как?

— Сейчас ты наденешь кальсоны, а я взъерошу твои волосы, словно ты только встал и вообще ничего не понимаешь.

— Зачем?

— Затем, что сейчас ты сыграешь роль моего мужа! Этот придурок увидит, что я замужем, и больше не будет мне надоедать.

— А где ты возьмешь кальсоны?

— Не задавай лишних вопросов и раздевайся. Кальсоны у меня остались от бывшего супруга. Правда, размерчик тебе будет немного великоват, но ничего страшного.

Димка моментально натянул кальсоны и посмотрел на меня обиженным взглядом:

— Я в них на Карлсона похож.

— Не на Карлсона, а на мужа, — поправила я, взлохмачивая волосы.

— Что ты делаешь?! — возмутился он.

— Хочу, чтобы они хоть немного свалялись.

— Зачем?

— Я же тебе говорила, сделаем вид, что ты как будто только встал и вообще пока не можешь сориентироваться в ситуации. Ты лежал, спал, потом читал газету и смотрел телевизор, а затем твоя жена сказала, что к ней пришли, и ты пошел разузнать, в чем дело.

— Ну у тебя и представления о семейной жизни! — покачал головой Димка, подошел к зеркалу и громко рассмеялся.

— Ничего смешного не вижу, — пожала я плечами. — Сейчас ты похож на мужа, который сутками лежит на диване, читает газеты и смотрит телевизор.

— Ну не все же мужья такие.

— Не знаю, все не все, но другие мне не встречались. Ладно. Давай не будем терять времени. Открывай дверь и прогони этого ненормального.

Димка тяжело вздохнул и в сердцах произнес:

— Ты сумасшедшая!

Я быстро сунула ему газету.

— А это зачем?

— Для правдоподобности. Ты же не мог лежать на диване просто так! Как будто звонок в дверь оторвал тебя от чтения...

Димка вздохнул, открыл дверь и вышел на лестничную клетку. Молодой человек встал с корточек и стал с интересом разглядывать моего так называемого мужа. Смяв газету, Димка артистично скрестил руки на груди и суровым голосом произнес:

— В чем, собственно, дело? Какого хрена тебе здесь нужно?!

Я вышла следом и, приобняв Димку за плечи, нежно проворковала:

— Костя, знакомься, это мой муж. Он сейчас лежал на диване и просматривал свежую прессу, а ты звонишь в дверь и отвлекаешь его от столь важного дела.

Лицо молодого человека как-то сразу осунулось, а глаза значительно округлились.

— Ты разве замужем?

— Да. Я замужем всю свою сознательную жизнь, — четко произнесла я и приняла вызывающую позу.

Димка нахмурил брови и сделал шаг вперед:

— Так ты не ответил на мой вопрос! Какого черта ты поднял меня с дивана?! Я вообще не люблю, когда меня с него поднимают!

— Вы что, постоянно лежите на диване? — опешил молодой человек.

— Сутками, — язвительно сказала я. — Не переживай, тебя ждет такая же участь. Вот когда женишься, тогда и узнаешь. Главное, диван всегда застилать покрывалом, а то будет дырка, а поменять обшивку нынче стоит больших денег.

Молодой человек тяжело вздохнул:

— Что-то, когда я проводил с тобой ночь, я не видел, чтобы на диване лежал муж...

— Оно и понятно. Он лежал в другой комнате. В моей квартире не один диван, а целых три, — выкрутилась я.

— Но ведь ты орала от удовольствия, как дикая кошка! Почему же тогда твой муж ничего не слышал?!

— Потому, что он спал. Когда он спит, он кладет развернутую газету прямо себе на лицо и ничего не слышит. У него сон крепкий. Когда столько прессы перечитаешь, просто голова кругом идет. Сразу спать хочется.

— Я спал, — кивнул головой Димка. — И вообще, ты сделал приятное моей жене, мы заплатили тебе деньги из нашего семейного бюджета, можешь быть свободен. Больше в тебе необходимости нет. Я думаю, что со своей женой я справлюсь сам.

Молодой человек достал платок и вытер выступивший на лбу пот. Подозрительно посмотрев на Димку, он чуть слышно сказал:

— Тебе повезло, дружище. У тебя классная жена. Ты, пожалуйста, уделяй ей внимание и трахай хоть раз в неделю.

— Разберемся, — кивнул головой Димка и обнял меня за плечи.

— Ладно, Костя, нам некогда, — вмешалась в разговор я. — Ступай на работу и смотри, работай на совесть.

— А ты звони, если муж слишком зачитается. Я приеду за бесплатно.

— Буду иметь в виду, — бросила я и затащила Димку в квартиру.

Как только за нами закрылась дверь, мы бросились к монитору и с облегчением вздохнули. Молодой человек сел в лифт и удалился из поля зрения. Димка моментально скинул с себя кальсоны и посмотрел на диван.

— Если бы ты только знала, как я его ненавижу! Я никогда на нем не лежал.

— Это потому, что ты холостяк.

— Но ведь я был женат целых семь лет.

— И что, за эти семь лет ты ни разу не лежал на диване?

— Нет.

— Верится с большим трудом.

— Неужели твой муж все время лежал на диване?

— Димка, я вообще не хочу говорить про своего мужа. Я хочу просто вычеркнуть его из своей жизни, и все. Ничего не было. Не было этих страшных пяти лет замужества. Я за эти пять лет чуть не потеряла себя. Знаешь, это самое страшное — если потеряешь себя, потом уже вряд ли найдешь... Мужчина — тормоз женщины. С ним она теряет свою индивидуальность, непосредственность, привлекательность.

— Может быть, тебе просто такие мужчины попадались.

— Не знаю. Я вообще над этим не задумывалась. Вот возьму и поменяю ориентацию.

— Так уж и поменяешь...

— Запросто.

Мы вновь сели за стол, и Димка открыл бутылку шампанского.

— Я сейчас сыграл роль идиота, — грустно сказал он.

— Не идиота, а мужа.

— По-твоему, все мужья — идиоты?

— Димка, что ты цепляешься к словам? Мы просто отшили наглого молодого человека из фирмы досуга, и все!

— Какого черта ты его заказала?!

— Потому что я уже полгода без мужика. Меня просто приперло. Так приперло, что хоть на стенку лезь. Я же живой человек.

— Могла бы и меня попросить.

— И ты бы сделал это совершенно бесплатно, — рассмеялась я.

— Помнишь, как нам было хорошо много лет назад?

— Помню, но это было много лет назад... Наверно, мы стали старше.

Мы просидели за столом около часа, потом я постелила Димке в детской комнате и, нежно чмокнув его в щеку, ушла спать. Около восьми утра соседка привела мою дочку. Я приготовила завтрак и разбудила Димку. Я опаздывала на самолет. Он быстро выпил кофе и побежал на стоянку за машиной.

— Ну что, солнышко, поехали на море? — Я присела перед дочкой на корточки.

— Поехали, — радостно кивнула она и взяла меня за руку.

Через несколько минут мы уже мчались в аэропорт. Димка заметно нервничал и никак не мог успокоиться.

— Послушай, а что будет, если ты не найдешь своего курортника?

— Найду.

— Откуда такая уверенность?

— Кто ищет, тот всегда найдет. Он уже там, я это чувствую. Он лежит на пляже и ждет, пока рядом расположусь я.

— Ты сумасшедшая.

— Я это слышу каждый день.

— В Симферополе тебя встретят?

— Конечно. Моя подруга.

— Та самая, которая поет в ресторане?

— Та самая.

— У нее есть машина?

— У нее изумительная машина.

— Думаю, вы неплохо проведете время.

— Я тоже так думаю. Сегодня вечером я пойду в ресторан и буду наслаждаться ее пением, а завтра с утра отправлюсь на пляж искать своего курортника. Я узнаю его среди тысячи отдыхающих и обязательно с ним познакомлюсь.

Димка грустно пожал плечами и припарковал машину у аэропортовской стоянки. Как только мы прошли регистрацию, он поцеловал меня в щеку и растерянно сказал:

— Позвони, как устроишься.

— Обязательно. Я же обещала. Позвоню, как приеду в Ялту, а затем как только найду своего курортника.

Димка помахал мне рукой и пошел на стоянку. Я долго смотрела ему вслед и в который раз подумала о том, что мы стареем. Что-то произошло, что-то надломилось и больше никогда не вернется...

## ГЛАВА 3

Я с волнением ждала встречи с Катькой. Когда самолет пошел на посадку, сердце учащенно забилось.

Катерина была очаровательной женщиной. Мы познакомились много лет назад за границей. В поисках новых впечатлсний и достойных заработков я уехала зарубеж и устроилась певицей в довольно приличный — даже по заграничным меркам — ресторан. Катерина пела неподалеку в ночном клубе. Мы быстро подружились. Вернувшись на родину, я полностью покончила со своей неудачной певческой карьерой, а вскоре получила письмо от Катерины, в котором она поведала мне о том, что уехала в свою родную Ялту и теперь работает в одном из ялтинских ресторанов. Мы не виделись целую вечность и лишь изредка баловали друг друга незначительными звонками. Катерина успела пару раз выскочить замуж и каждый раз убеждалась в том, что семейная жизнь — ошибка, от которой приходится отходить долгие и долгие годы. Я волновалась оттого, что в последний раз мы виделись, когда были совсем молоденькими девчонками, а теперь... Теперь мы превратились в привлекательных женщин, у которых все та же самая молодая душа и масса амбиций.

В зале прилета кто-то бросился мне на шею и стал трясти за плечи. Это была Катерина. На моих глазах выступили слезы, и я была готова разреветься, как маленькая девочка, которую поставили в угол и лишили конфет.

— Ты плачешь? — Катерина достала платок и стала вытирать мое лицо.

— Просто столько лет... А их как будто и не было. Ты нисколько не изменилась.

Катерина оглядела меня оценивающим взглядом и пожала плечами:

— Послушай, а почему ты больше не блондинка? У тебя же были ослепительно белые волосы.

— В душе я по-прежнему блондинка. — Я прижала Катерину к себе.

Через несколько минут мы уже сидели в Катькином «Ягуаре» и делились новостями. Катерина рассказала о своих неудачных замужествах, и мы обе пришли к выводу, что все мужики — сволочи и что не стоит их воспринимать как божий дар и подарок небес.

Я закрыла глаза и вспомнила все, что мы вытворяли с ней, когда работали за границей. Дочка была занята своими игрушками.

— Катька, а помнишь наш дикий пляж? — спросила я.

— Конечно, помню. Разве такое можно забыть! — звонко рассмеялась она.

Это был умопомрачительный пляж. Там было народу меньше, чем на всех остальных, да и нравы куда свободнее. Конечно, иногда мы щеголяли и на городском пляже без верхней части купальника, и нам было приятно, когда одуревшие японцы пялились на наши груди. Хотя большинство смотрело осуждающе. На диком пляже мы раздевались полностью, ощущая себя совершенно свободными, ничем не стесненными. Мы любили лежать на горячем песочке и чувствовать, как нежный ветерок ласкает наши тела.

Я посмотрела на дочку и сказала шепотом:

— А помнишь, как мы ложились против ветра, раздвигали ноги и ощущали такое, что не может сравниться даже с самым теплым и приятным языком. Мы даже и подумать не могли, что это так здорово, когда ветер задувает прямо между ножек, игриво ерошит волоски, будто хочет проникнуть внутрь. И мы пытались помочь ветру и раздвигали ноги все шире и шире.

— А помнишь японца, — поддержала меня

Катерина, — он смотрел на нас, не отрываясь. Он просто опешил и не мог произнести ни слова — две молодые, симпатичные девчонки с раздвинутыми ногами! Согласись, завораживающее зрелище. Мы получали неописуемое удовольствие. Наверно, оттого, что он так пристально нас разглядывал. Между ног все будто набухло, стало ужасно горячо.

— А затем мы бросились в море, чтобы остудиться, — продолжила я. — От холодной соленой воды мы получили просто потрясающий оргазм. И это было так бурно, так сладко и так романтично! Я никогда не испытывала такого с мужчинами. На другой день собралось целое скопище японцев. Они показывали на нас пальцами, смотрели открыв рот, а потом все ходили мимо и поправляли свои плавки, потому что их мужские достоинства почти торчали наружу.

— Все это осталось в прошлом, — задумчиво сказала Катя.

«Но мы на всю жизнь запомнили те дни, когда лежали на пляже совершенно голые с раздвинутыми ногами и ощущали устремленные на нас взгляды мужчин», — подумала я.

Увы, теперь об этом остается лишь вспоминать. Мы слишком повзрослели, а может быть, даже и постарели. Один раз я со своим бывшим мужем ездила отдыхать в Испанию и хотела раздеться догола, но муж так разбухтелся, что пришлось забыть об этой затее.

Мы не заметили, как добрались до Катиного дома. Дочкой занялась Катина мама, а мы с подругой открыли бутылку нашего любимого виски и уютно расположились у камина.

— Сегодня вечером едем в ресторан. Ты должна послушать мою новую программу, — сказала Катя и наполнила наши бокалы. — А как сложилась твоя певческая карьера?

— Никак. У меня был жуткий нервный срыв, и я потеряла голос.

— Говорят, что голос может вернуться.

— Не знаю, пока этого не произошло. Сегодня я с удовольствием послушаю тебя, а завтра с утра я беру дочку и иду искать своего курортника.

— Какого еще курортника?

— Самого обыкновенного. Который сейчас парит ласты на одном из ялтинских пляжей и ждет, когда я прилягу рядом.

— Здорово! Решила завести курортный роман? Ты всегда была умной женщиной.

— Я хочу завести такой курортный роман, чтобы перехватило дыхание, а в жилах стыла кровь. Хочу дать сумасшедшую встряску своему организму. Хочу чувствовать волнующий трепет, дрожь в коленях и сухость во рту!

— Но ведь у курортного романа не бывает продолжения?

— А на кой черт оно мне нужно?!

— Будь осторожна. Мужики нынче шарахаются от красивых женщин, как от огня. Они нас боятся. У красивых женщин есть один талант, которым не обладают другие. Мы умеем делать вид, что у нас все хорошо, что мы счастливы и вполне довольны своей жизнью. Это серые мышки плачутся и ждут, когда их пожалеют, а нам нельзя, потому что мы красивые, а если мы красивые, то это значит, что мы сильные. Красивым женщинам особенно одиноко, и никто об этом даже не подозревает.

— Нужно просто уметь прислушиваться к чувствам. В моей жизни было очень много мужчин. Одни нравились мне, другим нравилась я, но все они либо были женаты и хотели видеть во мне только любовницу, либо лентяи, не скрывающие, что хотят жить за счет женщины, не давая ничего взамен. Были и весельчаки, любители шумных пирушек с возлияниями, переходящими все границы. Это мое право определять границы отношений с мужчинами, и никто не сможет его у меня отнять. Я разошлась с мужем, потому что ушла любовь, и я не хотела доживать свою жизнь с человеком, который уже давно остыл. Я поняла, что самое главное — это дети. Когда мне становилось совсем плохо, дочка садилась ко мне на колени и говорила: «Мамочка, ну не плачь, пожалуйста, я ведь люблю тебя больше всех на свете, ты же самая красивая в мире». И горечь, отчаяние отступали, я всегда находила выход из положения. Самое главное — быть сильной во всем. Нужно полагаться только на себя, потому что твои проблемы — это только твои проблемы, и никому нет до тебя дела. Я изменила имидж, стиль одежды, прическу. Нам с тобой уже никогда не выйти замуж, потому что здесь, в России, мужчины ужасно меркантильны, стараются найти женщину только с плюсами: без детей, но обязательно с жильем. Да пошли они все на хрен!

Катерина кивнула:

— Нам пора. За дочь можешь не переживать. Ее моя мама к себе заберет. Она недалеко живет. Завтра утром привезет. Она там с моими детьми подружится. В общем, все будет хорошо. Короче, катим в ресторан, я тебе сейчас так спою, что у тебя глаза из орбит вылезут.

Я посмотрела на часы:

— Катя, мне нужно Димке позвонить, а то он волнуется. Я обещала сразу позвонить, как только устроюсь.

— Пусть переживает. Больше будет ценить. С мужиками так и надо.

— Да у нас с ним все не так. Мы друзья... Он моя подруга, понимаешь?

— Он что, голубой, что ли?

— Нет, но мы не спим.

— Он импотент?

— Нет. Раньше у него все нормально функционировало. Мы с ним просто друзья... Я даже не знаю, как это объяснить, но иногда мне и самой кажется, что так не бывает.

Катя встала, сделала несколько кругов по комнате, затем резко остановилась и удивленно пожала плечами:

— Послушай, он что, совсем дурак? Разве такую женщину можно не хотеть?! Ему лечиться надо.

— Он меня хочет...

— Тогда в чем дело?

— Просто я ему не даю. Если это произойдет, то это будет возврат к прошлому, а значит, мы опять разбежимся на несколько лет... Тот вариант, который мы сейчас придумали, самый нормальный и долговечный. Ладно, я ему завтра позвоню. Пусть думает, что я еще не устроилась.

— Вот это правильно! Мужика нужно держать в ежовых рукавицах, — произнесла Катерина довольно ехидным голосом и стала собираться. — Все, едем. Время не ждет.

В ресторане я зашла вместе с Катей в гримерную и плюхнулась в огромное кресло. Катька принялась наводить марафет, изредка поглядывала в мою сторону.

— Послушай, а какой он хоть, твой курортник? — не выдержала она.

— Он... — Я мечтательно закатила глаза и провела языком по нижней губе. — Он самый, самый, самый. Ну, в общем, если ты хочешь, я тебя с ним обязательно познакомлю.

— А ты уверена, что найдешь его? Тут вообще ловить нечего. Одни хохлы, ей-богу. Ну, местная мафия в нашем кабаке отирается... В общем, одно дерьмо.

— Я найду его. Может, конечно, не завтра, но я его найду.

Катька тяжело вздохнула:

— Послушай, подруга, а ты случайно не перепутала Ялту с Кипром или Канарами? Мне твои запросы хорошо известны. Ты сильно не обольщайся, а то настроишься на нормальный вариант, а тут только дырки от бубликов.

— Я найду бублик, в котором не будет дырки, — решительно сказала я. — Я чувствую, что он прилетел за день до меня, что он где-то рядом. Ему скучно, и он тоже повсюду ищет меня. Он уже тысячу раз пожалел о том, что прилетел именно сюда. С завтрашнего дня я перерою носом все ялтинские пляжи, и я его найду. Он лежит под жарким солнышком, ест черную икру и мучается от одиночества и изжоги.

— Кто же ест черную икру в такую жару? Ты

как что-нибудь скажешь, так хоть стой, хоть падай!

— Он ест ее независимо от времени года. Для него черная икра, что для нас питьевая вода из-под крана.

— Ну ты и загнула! — громко рассмеялась Катька, припудривая нос. — Завтра ты пойдешь на пляж и вернешься в довольно скверном настроении, потому что тут таких вариантов нет и никогда не было.

— Я найду такой вариант, — сказала я и сердито посмотрела на Катерину.

Катерина слегка съежилась и потупила глаза.

— Конечно, найдешь. Только бы твои поиски не затянулись слишком надолго. Тут черную икру даже в магазинах не продают... Я же тебе сразу сказала, что тут нищета страшная. Живем только за счет отдыхающих. Зимой вообще глухо. Ялта словно вымерла, да и «Интурист» пустой. Поляки иногда наведываются, но они жадные, как черти. Послушай, а может, я тебе лучше пропуск на интуристовский пляж сделаю? Там вода горячая есть, да и публика посолиднее. Может, ты там своего курортника найдешь? Тем более скоро день города, что-нибудь да всплывет. Это, конечно, не Москва... Это у вас там богатенькие Буратино на каждом шагу встречаются.

Я откинулась на спинку кресла и немного раздраженно произнесла:

— С этими богатенькими Буратино целая проблема.

— Какая?

— С ними нужно разыгрывать влюбленную женщину. Их нужно хвалить, поощрять, в общем, играть в любовь. Я пока к этому не готова. Не хватает остроты ощущений. Все так гладко, ровно, банально. Хочется какой-то вспышки, какого-то всплеска, и чтобы это прошло так же быстро, как началось.

Разместившись за столиком у сцены, я слушала Катьку и получила просто невообразимое наслаждение. Какой, к черту, Кипр, если в Ялте живет моя потрясающая подруга, которая поет так, что останавливается сердце.

Я хорошо помню тот день. Была ужасно скверная погода, я шла по чужому ночному городу и пыталась разобраться в своих проблемах. Я смахивала слезы и куталась в теплую кофту. Это был тяжелый период. У меня были сумасшедшие проблемы на работе и точно такие же проблемы в личной жизни. Я открыла дверь ближайшего ночного клуба, на ломаном японском заказала двести граммов виски со льдом и обратила внимание на поднявшуюся на сцену русскую девушку. Увидев меня, девушка помахала рукой, словно знала меня уже тысячу лет. Я постаралась изобразить подобие улыбки. Спев пару песен, девушка подсела ко мне и спросила: «Тебе сильно паршиво?» — «Очень», — почти шепотом сказала я, с трудом сдерживая слезы. «Я тебя знаю, ты поешь в соседнем ресторане. Держись. Тут всем паршиво. Бог даст, сколотим денег и доберемся до дома», — сжав кулаки, сказала она и вновь взяла микрофон. Я смотрела на нее как завороженная и даже не могла подумать о том, что пройдет время, и мы станем закадычными подругами. С тех пор прошло много лет, но мне было чертовски приятно, что мы снова вместе, и я вновь могу слышать, как она поет.

Я решила выйти в туалетную комнату, чтобы покрутиться у зеркала. Неожиданно в коридоре ко мне подошел невообразимый громила с толстой цепью на шее и бесцеремонно оглядел с ног до головы. Я пыталась его обойти, но он сделал шаг в сторону, перегородив мне дорогу.

— Извините, мне нужно пройти, — довольно спокойно сказала я и попыталась отодвинуть это чудовище.

Естественно, это не дало никаких результатов. Комплекция громилы была мне явно не под силу.

— Мне нужно пройти, — более настойчиво сказала я и вновь сделала шаг в сторону.

— Что-то я тебя здесь раньше не видел, — облизнулся громила и самым хамским образом положил руку мне на талию.

Я попробовала убрать его руку, вернее ручищу, но и это оказалось довольно сложно.

— Послушайте, что вам нужно?! Убирайтесь прочь, — не на шутку разозлилась я.

— Чо ты сказала?! — громила явно опешил от моей наглости.

— Ни чо, — передразнила я его. — Дай пройти. Я тебе по-хорошему говорю.

— А ты можешь и по-плохому?

— Могу и по-плохому, — храбро ответила я, чтобы скрыть свою растерянность.

— Ну попробуй, — заржал громила и притянул меня к себе.

На минуту мне показалось, что у меня затрещали все косточки. В этот момент раздалось что-то невообразимо громкое, и я как подкошенная упала на пол. Громила навалился на меня всем телом. Я не знаю, сколько килограммов живого веса в нем было, но то, что он превышал мой в несколько раз, это точно. Затаив дыхание, я слушала какой-то непонятный грохот, доносившийся от входной двери, и только через несколько секунд поняла, что это было не что иное, как автоматная очередь. Когда все затихло, я перевела дыхание, пытаясь понять, жива я или нет. Мое тело словно онемело, а голова кружилась с такой силой, что, казалось, еще немного, и я потеряю сознание. Вокруг послышались крики. Незнакомые люди оттащили от меня громилу, и я почувствовала себя значительно лучше. С трудом сев на корточки, я посмотрела на свое вечернее платье и закричала от ужаса. Буквально все платье было в крови, а рядом со мной расползлась кровавая лужа. Мне пришло в голову, что одна из пуль попала в меня и через несколько минут я должна умереть. Представилась дочка с ее огромными глазами, и мне стало просто чудовищно плохо. Я зарыдала, но вместе с тем, хотя и робко, попыталась ощупать свое тело. Не найдя ничего похожего на рану, я облегченно вздохнула и перевела взгляд на лежащего рядом громилу. Вокруг него толпились возбужденные люди.

Появилась вусмерть перепуганная Катька. Она села и стала резко трясти меня за плечи, пытаясь привести в чувство.

— Катя, меня убили? — каким-то чужим голосом прошептала я и тихонько всхлипнула.

— Да это не тебя убили, а Мазая.

— Какого еще Мазая?

— Местного авторитета. Послушай, а как вообще ты очутилась рядом с ним?

— Я хотела зайти в туалетную комнату, а он...

— Он что, к тебе приставал?

— Что-то вроде этого.

Катька погладила мои волосы и спросила:

— Послушай, а ты точно не ранена?

— Я не знаю.

— У тебя что-нибудь болит?

— У меня все болит. Тело словно парализованное. — Я не сдержалась и снова громко заплакала.

Катька еще раз потрясла меня за плечи и прижала к себе:

— А ну-ка кончай реветь. Ничего страшного не произошло. Нормальная рабочая обстановка — братки между собой не поладили, застрелили местного авторитета. Ты просто оказалась рядом.

— Дочку жалко, — не могла успокоиться я.

— Какую дочку?

— Мою. Какую ж еще. У нее же никого, кроме меня, нет.

— Ты что, умирать собралась?! А ну прекращай! Я полчаса назад матери звонила. Твой ребенок накормлен, напоен и уже давно в постели. Такие, как ты, вообще не умирают. Такие кого хочешь переживут. А ну-ка вставай, а то раскисла, как размазня, смотреть противно! Тебе еще завтра своего курортника искать надо. Представляешь, что будет, если он тебя такой увидит?! Он свое полотенце в другое место перенесет и черной икрой с тобой не поделится.

— Да пошла ты со своим курортником! — махнула я рукой и попыталась встать. Только я встала, Катька бесцеремонно ощупала меня.

— Какого черта тебе надо? — устало спросила я.

— Проверяю, нет ли у тебя раны. По-моему, все о'кей.

— Смотри, все платье кровью залито. Даже места живого нет.

— Это кровь Мазая. Он здоровый. У него крови много.

— А ты хоть знаешь, сколько это платье стоит?

— Да хрен с ним, с платьем. Главное, что ты жива осталась. Раскрутишь своего курортника на новое платье.

— Слушай, отцепись ты со своим курортником! — в сердцах произнесла я и попыталась сделать несколько шагов.

— Он не мой, а твой. Ты ж его придумала, а не я, — пробубнила Катька и поплелась следом.

В дверях стоял администратор и провожал перепуганных посетителей, принося многочисленные извинения. Мы остановились рядом с носилками, на которых лежал громила, но подошли санитары, на тело убитого накинули покрывало и унесли в машину, которая в простонародье называлась «труповозкой». Зал заполнили оперативники, и я просто не могла не попасть в их поле зрения. Мне пришлось отвечать на их вопросы. Бурно размахивая руками, голосом, полным истерики, я доказывала свою непричастность к данному событию, говорила, что я просто случайный свидетель, направлялась в туалетную комнату, но так и не смогла до нее дойти, потому что какой-то незнакомый громила, называемый Мазаем, принялся мне выказывать недвусмысленные знаки внимания. А затем... непонятный грохот, и я вообще не понимаю, как осталась жива.

Когда меня отпустили, Катька взяла меня за руку и повела в свою гримерную.

## ГЛАВА 4

В гримерной я скинула окровавленное платье, закуталась в полотенце и посмотрела на свою подругу.

— Как ты думаешь, кровь отстирается?

— Да выкинь ты его ко всем чертям, — бесцеремонно махнула рукой Катька.

— Я не такая богатая, чтобы выкидывать свои вечерние платья.

Я увидела огромные синяки на своих ногах и сморщилась.

— Ты только посмотри, у меня синяки! Даже не представляешь, сколько этот громила весит. Килограммов двести, не меньше! Ну как я завтра с такими синяками пойду на пляж! Что я скажу своему курортнику?

— Скажешь, как все было на самом деле.

— Ну и как это будет выглядеть?! Ведь это же совсем неромантично. Ты только представь, я иду по пляжу с багровыми синяками, от меня шарахаются люди. Тут я вижу его, расчищаю площадку, чтобы лечь рядом, и говорю, мол, не пугайся, милый, я просто попала в перестрелку, и на меня упала огромная подстреленная туша...

— Тогда не раздевайся сразу. Пойдешь в брюках, познакомишься, предупредишь его по поводу своих синяков, а уж потом разденешься.

— Я же должна покорять его своим купальником! А чем я его, по-твоему, должна буду покорять, брюками, что ли?!

— Знаешь, есть одно хорошее выражение, и оно как нельзя лучше тебе подходит: «Подлецу все к лицу». Ты на себя в зеркало смотрела? Тебе мужика покорить — раз плюнуть. Главное, чтобы брюки в обтяжку были. Мазай и тот на тебя запал.

— Да этот так называемый Мазай, по-моему, на кого угодно западет. Ему разницы нет. Просто мне хотелось, чтобы, когда курортник увидит меня в первый раз, я была бы в купальнике, но если я выйду с такими синяками, то полпляжа убежит. Синяки ведь долго сходят. В брюках в такую жару никто не ходит.

— Ладно, сейчас не до курортника. Ты чуть жизни не лишилась, а все равно о нем думаешь. Нет его, пойми правильно. Давай лучше возьмем путевки на Кипр и оторвемся по полной программе. Приглядим двух приличных курортников и так их заделаем, что они будут о нас вспоминать всю оставшуюся жизнь и глотать валидол.

Катька встала, сделала несколько кругов по комнате и остановилась передо мной:

— Знаешь, я так за тебя перепугалась. В зале начался переполох, сказали, что в коридоре стреляют... Когда я увидела, что тебя нет на месте, у меня сердце остановилось, ей-богу. Я вдруг подумала, что могу тебя потерять...

— И часто у вас здесь стреляют? — спросила я.

— Да постреливают иногда... Я сейчас сбегаю, возьму бутылку виски — надо немного разрядиться. Потом поедем домой и завалимся спать. Хочешь, завтра возьмем детей и покатаемся на канатной дороге?

— Я буду на ней кататься со своим курортником, — чуть слышно сказала я и посмотрела на Катерину виноватым взглядом.

— Ты все-таки собралась завтра на пляж?

— Конечно.

— С такими синяками?

— С такими синяками.

— Можно я скажу тебе одну вещь? Только обещай, что не обидишься.

— Обещаю.

— Тот громила, который лежал на тебе час назад, это самое приличное, что здесь можно найти. Тут вообще шаром покати. Как распался Союз, так сюда нормальные отдыхающие перестали приезжать. Цены здесь высокие, а комфорта никакого.

Сказав это, Катька отправилась за виски. Я удрученно разглядывала свои синяки и тяжело вздыхала. После всего произошедшего у меня жутко болела голова, стучало в висках, но я все же думала о НЕМ... Я боялась только одного, чтобы ЕМУ не наскучила Ялта и ОН не уехал раньше времени. Я представила, как ОН смотрит на проходящих мимо красивых, молодых, стройных, длинноногих девушек, и чувствовала сумасшедшие уколы ревности.

Никаких девушек! Я заделаю ЕГО так, что он забудет про все на свете, а когда наш роман закончится, будет долго глотать валидол и вспоминать Ялту. Это будет самый сумасшедший роман в ЕГО жизни... Такой бурный, такой спонтанный и такой короткий... Я с упоением думала о тех знойных ночах, которые нам придется провести вместе...

Неожиданно дверь распахнулась, и на пороге гримерной возникла парочка мордоворотов «братской» национальности. Один из них остался стоять в дверях, а другой сел напротив меня и окинул оценивающим взглядом. Я съежилась и поправила полотенце, в которое была закутана. Мордоворот, увидев мои синяки, присвистнул.

— Ты, что ли, сегодня в перестрелку попала? — спросил он, доставая сигареты.

— Я, что ли, — насторожилась я.

— Кто Мазая убил, знаешь?

— Нет. А почему я должна знать? — опешила я.

— Потому что Мазай погиб из-за тебя.

— Из-за меня? — оторопело переспросила я.

— Он накрыл тебя своим телом. Ты что, не поняла?

— Нет, — с трудом выговорила я.

— Еще скажи, что ничего не знаешь. Ты с Мазаем стояла в коридоре и обнималась. Так?

— Нет. Это он меня обнимал, а мне, между прочим, это было даже неприятно.

— Ага, так я тебе и поверил! Влетел какой-то крендель с автоматом и стал стрелять, а Мазай закрыл тебя своим телом и погиб. Так вот, Мазай — наш очень хороший товарищ, братан, одним словом. Мы хотим знать, что за крендель влетел с автоматом. На нем была черная шапочка с разрезами для глаз. Может, Мазай тебе когда-нибудь рассказывал или намекал чего о своих врагах? Может, ты знаешь, откуда ветер подул?

Я вытаращила глаза и боялась пошевельнуться. От страха замирало сердце.

— Ребята, вы меня с кем-то перепутали. Я сегодня утром из Москвы прилетела. У меня даже билет сохранился. Я вашего Мазая в глаза никогда не видела. Я к Катьке прилетела, послушать, как она поет. Хотела выйти в туалет, так этот самый Мазай перегородил мне дорогу... А затем автоматная очередь, и все... Я даже не видела, кто стрелял. Он просто упал сверху, и все.

— Он не упал сверху. Он закрыл тебя своим телом, — поправил меня мордоворот. — Это большая разница.

— Да это вам так показалось. Какого бы черта он меня прикрывал? Кто я ему? Он бы, наоборот, использовал меня как живой щит. Просто так получилось.

Вернулась Катька с бутылкой виски. Мордоворот, стоящий в дверях, попытался вытолкать ее обратно, но Катька настырно прорвалась и встала посреди комнаты. Посмотрев на стоящего у двери мордоворота взглядом, полным ненависти, она уперла руки в бока и сквозь зубы процедила:

— Ты какого хрена меня в мою родную гримерку не пускаешь?!

— Да нам немного с твоей подругой потолковать надобно, — оправдываясь, произнес браток.

— Какого черта?! Мою подругу сегодня чуть не убили. Ей нужно хорошенько выпить и лечь спать, — не унималась Катька.

Браток, сидевший на диване, похлопал по сиденью рядом с собой, приглашая Катерину сесть рядом. Катька не стала сопротивляться, присела и стала распечатывать бутылку. Достав пару рюмок, она налила виски и протянула одну мне.

— Давай, подруга, выпьем за то, что ты, слава богу, жива и с тобой ничего не случилось, — быстро проговорила она и осушила свою рюмку до дна. Я последовала ее примеру и сразу почувствовала себя значительно лучше.

Сидевший на диване открыл рот и нахмурился.

— А нам почему никто выпить не предлагает? Мы, между прочим, сегодня одного из своих лучших товарищей потеряли.

Катька пожала плечами:

— Да будет вам известно, молодые люди, что виски денег стоит и мы с Наташкой всю местную братву поить не намерены.

— Можно подумать, ты эту бутылку виски за свои деньги покупала, — обиделся мордоворот. — Ты эту бутылку в баре за просто так взяла. Ни для кого не секрет, что вы тут все спиртное водой бодяжите, а самые дорогие напитки разводите техническим спиртом и тулите эту гремучую смесь пьяным иностранцам в виде коктейлей. Я всю вашу ресторанную кухню наизусть знаю.

Недолго думая, Катька достала еще пару рюмок и наполнила их вместе с теми, которые опустошились. Мы вполне дружелюбно чокнулись. Я вновь посмотрела на окровавленное платье, лежащее на полу, и тяжело вздохнула. Это было одно из самых любимых платьев. Оно сидело на мне так, что, надев его, я всегда крутилась у зеркала и чувствовала себя самой настоящей королевой. Неожиданно «братишка», сидевший на диване, подошел ко мне и заглянул в глаза.

— Скажи правду, ведь Мазай к тебе в Москву мотался?

От такого вопроса у меня пересохло во рту.

— Я не знаю вашего Мазая, честное слово, — с отчаянием произнесла я. — Конечно, о покойниках плохо не говорят, но, если бы ваш Мазай приехал ко мне домой, я даже не пустила бы его на порог.

Братишка направился к двери и, обернувшись, довольно серьезно сказал:

— Ладно, отходи. Ты сегодня такое пережила... Нервы, я скажу, у тебя будь здоров, как у крепкого мужика. Держишься нормально. Завтра чтобы к шести вечера была у входа в «Интурист». Попробуй только не прийти, мы все вверх дном перевернем.

— Зачем?

— Затем, что завтра приедет главный. Вот ему ты все и расскажешь.

— Что я должна ему рассказать?

— Это вы завтра порешаете. Короче, завтра в шесть часов у входа в «Интурист». Сама знаешь, мы повторять не любим. Катька, объясни своей девочке, что дело серьезное. Приедет не кто иной, а сам Глобус. Поэтому, если твоей подруги в назначенное время не будет, за последствия мы не отвечаем.

— А Глобус разве сейчас в Ялте? — спросила Катька.

— Завтра будет в Ялте, можешь не сомневаться. Как-никак его друга застрелили, да еще таким наглым образом.

Мордовороты вышли из гримерной. Как только за ними закрылась дверь, я взяла бутылку и стала жадно пить виски из горла. Полотенце слетело с меня, и я осталась в одних тоненьких, прозрачных трусиках. Катька бесцеремонно оглядела меня с ног до головы и улыбнулась:

— Знаешь, а ты нисколько не изменилась... Словно не было этих десяти лет. У тебя что, сейчас мужика совсем нет?

— Нет, — пьяным голосом ответила я и поняла, что мне больше нет смысла кутаться в полотенце. Уж кто-кто, а Катька знает мое тело наизусть, и мне совершенно нет смысла ее стесняться, хотя я никогда и не относилась к разряду стеснительных. Я легла на диван, закинула на стену свои длинные ноги и понемногу потягивала из горлышка.

Катька села прямо на пол и, не сводя с меня глаз, спросила:

— Послушай, а как так получилось, что ты осталась одна?

— Не знаю, ей-богу. Может, мне просто на мужиков не везло, а может, мужикам не везло на меня. Иногда мне кажется, что мне необходимо обратиться к психоаналитику. Я больна, понимаешь?

— Чем?

— У меня все чувства атрофированы. Я не умею любить ни себя, ни других, а все, что дарит мне судьба, я разрушаю и полностью сжигаю все мосты. Я вообще не представляю, как люди живут в браке по тридцать лет и еще заявляют, что они очень счастливы. Мне всегда казалось, что все это фальшиво, неправдоподобно. Они, наверно, настолько устали быть вместе, что просто на дух не переносят друг друга. Ты же знаешь, как это страшно, когда наступает усталость в браке, когда понимаешь, что человек, с которым ты сидишь за одним столом, делишь одну постель, тебе настолько опостылел, что хочется выскочить на улицу и бежать со всех ног в неизвестном направлении. В любви должны быть встречи, расставания, но только не совместный быт. Бытовуха съедает все чувства на корню.

Я почувствовала, что вот-вот заплачу.

— Просто тебе нормальный мужик не попадался, — задумчиво сказала Катька.

— Можно подумать, он тебе попадался, — пьяно хихикнула я.

— Попадется, вот увидишь, обязательно попадется, — не хотела сдаваться изрядно захмелевшая подруга.

— Ага, держи карман шире! Кому ты нужна со своими двумя детьми?! Да и стареем мы, понимаешь?

— Мы не стареем, мы мудреем, — поправила меня Катька. — Тоже мне, старуха нашлась. Тогда какого черта ты собралась завтра искать своего курортника?

— Мне нужен допинг, я уже тебе об этом говорила.

— Завтра в шесть часов нам нужно подъехать к «Интуристу».

— Чего я там забыла?

— Там будет сам Глобус.

— Мне без разницы, кто там будет — Глобус или Карта, но я туда не пойду. Я никому ничего не должна.

— Наташка, неужели ты не поняла, что это очень серьезно? Если мы завтра туда не придем, они перевернут всю Ялту. Глобус — очень крупный криминальный авторитет, ты просто ему расскажешь, как все произошло, и к тебе больше не будет никаких вопросов.

— Мне нечего рассказывать. Уж ты-то прекрасно знаешь, не знала я этого гребаного Мазая. Господи, и чего он именно ко мне привязался! Наверно, мне так на роду написано, чтобы вся шваль ко мне цеплялась.

— Ну не такая уж это шваль... Он, между прочим, чего-то стоит.

— Я как-то не заметила, — вновь захихикала я и приложилась к бутылке.

Катя встала и отобрала у меня бутылку:

— Заканчивай пить. Поехали домой. Нужно хоть немного выспаться.

Она достала из шкафа короткие брюки с майкой. Я моментально облачилась в новые шмотки и в который раз с сожалением посмотрела на лежавшее на полу окровавленное платье. Катерина уловила мой взгляд, подняла платье и демонстративно опустила его в мусорную корзину.

— Тебе курортник новое купит, — ехидно заметила она.

— Как же, дождешься от него, — проворчала я и направилась к выходу.

Как только мы очутились в Катькиной машине, я посмотрела на свою подвыпившую подругу и предложила свои услуги:

— Катька, как ты поведешь машину в таком состоянии?! Перебирайся на пассажирское место, а я сяду за руль. Я на трезвую голову вообще не люблю водить. У меня в алкогольном состоянии намного лучше получается.

Катерина засмеялась, завела мотор и нажала на газ.

— Сиди уж! У тебя вообще язык заплетается. Ты сегодня пережила стресс, в таком состоянии за руль нельзя.

— Я в Москве каждый день переживаю стресс, и ничего, каждый день за рулем, — пробормотала я и устроилась поудобнее.

Катька давила на газ, не замечая светофоров и

случайных прохожих. Я тяжело вздыхала и боялась только одного — что она кого-нибудь собьет. К моему великому удивлению, мы доехали без происшествий, припарковали машину у Катькиного дома и через несколько минут уже лежали в одной кровати, смотрели на горящий камин и говорили «за жизнь».

— Катька, ты летом всегда камин топишь? — раздраженно спросила я и скинула с себя одеяло.

— Всегда. Топлю камин и включаю кондиционер с холодным воздухом.

Неожиданно я подскочила — Димка! Я ринулась к телефону и, набрав номер, затаила дыхание. Ждать пришлось долго. Наконец Димка снял трубку и сонным голосом спросил, кто звонит.

— Димка, это я. Я добралась до Ялты и прекрасно устроилась. У меня все просто замечательно. Не считая того, что я попала в небольшую перестрелку, но это не телефонный разговор. Я расскажу тебе обо всем при встрече, — протараторила я.

— Если ты хотела меня удивить, то у тебя ничего не получилось. С тех пор, как я познакомился с тобой, я вообще перестал чему-либо удивляться. Ты просто не можешь не попасть в какую-нибудь историю. Помни, ты поехала не одна, а с дочкой. Уделяй побольше внимания ребенку.

— Ребенок в надежных руках, — раздраженно сказала я.

— Ребенок должен быть в твоих руках, а ни в чьих-то других. Скажи, а ты ЕГО встретила?

— Еще нет. Когда б я успела? Завтра выхожу на промысел.

— Ты все-таки решила не расставаться с этой затеей?

— А почему я должна с ней расставаться?

— Ну позвони, как только его встретишь, — обиженным голосом сказал Димка.

Раздались короткие гудки.

Покрутив трубку в руках, я пожала плечами и положила ее на рычаг. Затем легла рядом с Катькой и прижалась к ее плечу.

— Вот гад, обиделся.

— Пообижается и отойдет. На обиженных воду возят. Главное, чтобы завтрашний день прошел удачно. Подойдем в шесть часов к «Интуристу», объясним все и забудем этот случай, как страшный сон.

— Хорошо тебе говорить, а ежели я завтра со своим курортником познакомлюсь, то как будет это выглядеть? Я вечером должна с ним кататься на яхте... Как я ему объясню, что в полшестого я должна исчезнуть? Все получается как-то неромантично.

— Ой, Наташка, до чего ж ты упрямая! Завтра походишь под палящим солнцем, посмотришь на местный контингент и вернешься обратно. Тут, чтобы яхту арендовать, нужно столько бабок отдать, что тебе и не снилось. Кто ее тебе арендовать будет, если люди тут на жилье экономят?! Вбила себе в голову черт знает что. Ты лучше подумай, что Глобусу скажешь. У тебя совсем не о том голова болит.

— А кто такой Глобус?

Катька закатила глаза и мечтательно произнесла:

— Шикарный мужчина. Вор в законе, но не про нашу душу.

— У тебя все мужики шикарные. И Мазай тоже шикарный! Дерьмо на палочке этот Мазай, вот кто он.

Я повернулась на другой бок и моментально уснула.

## ГЛАВА 5

Ранним утром я проснулась оттого, что кто-то трепал меня за ухо и осторожно пытался разбудить. Открыв глаза, я увидела свою дочку и радостно улыбнулась.

— Мамочка, я хочу на пляж, — пыталась она поднять меня с кровати.

Я стала трясти Катьку. Она с трудом открыла глаза и сладко зевнула.

— Катька, я собираюсь на пляж, — весело сообщила я, но тут же с огорчением вспомнила про свои синяки.

— Ты ведь совсем не выспалась. Ладно, выспишься на пляже, — махнула она рукой и натянула простыню до подбородка.

— На пляже мне будет не до сна, — сказала я и решительно направилась к трюмо, чтобы замазать свои синяки толстым слоем тонального крема.

— И какого черта мать так рано детей привезла, — раздраженно сказала Катерина, наблюдая за моими действиями. — Может, лучше поедем в

Ласточкино гнездо или покатаемся на канатной дороге?

— Иди ты к черту со своим гнездом! Пока я буду твои гнезда рассматривать, мой курортник умрет от скуки и сбежит отсюда на все четыре стороны!

— Теперь я понимаю, почему от тебя ушел муж...

— Он от меня не ушел, я его сама выгнала. Когда говоришь, что мужчина тебя бросил, все окружающие начинают тебя жалеть. «Как же так! Как можно бросить такую женщину... Какой подлец», и все в таком роде. А как только скажешь, что ты прогнала мужа, все тут же начинают тебя осуждать. Мол, в наше время нужно держаться за мужика руками и ногами, иначе пропадешь. Вот я всем и говорю, что муж бросил меня, чтобы никто не задавал лишних вопросов. Все начинают меня жалеть, а я улыбаюсь и чувствую райское наслаждение.

Как только я принялась красить глаза, Катька схватилась за голову и громко застонала:

— Какого черта ты красишься на пляж?! Тут жара тридцать с лишним градусов. У тебя вся штукатурка потечет.

— Но я же должна выглядеть эффектно!

— Ты и так эффектно выглядишь. Послушай, если твой курортник будет не один, то зацепи второго для меня. Я тоже черной икры хочу. Сразу звони, говори, какой пляж и сектор, я подрулю.

— Не получится, — грустно развела я руками.

— Почему?

— Потому что он приехал один.

— А ты почем знаешь?

— Я это чувствую.

— Какая ты у нас чувствительная! В общем, чтобы в пять часов была дома. В шесть нам нужно быть у «Интуриста». Сама понимаешь, нам лишние неприятности ни к чему. У нас дети.

— Не переживай. Буду.

Я посмотрела на более-менее замазанные синяки и подумала, что в таком виде все-таки можно идти на пляж. Затем облачилась в откровенное бикини и повязала талию длинной прозрачной фиолетовой косынкой. Катька от изумления открыла рот.

— Послушай, ты что, собралась идти на пляж в таком виде?

— Да, а что тебя так смущает?

— Ты ведь до пляжа не дойдешь, ей-богу.

— У вас же курортный город, какого черта я буду прятать свое красивое тело под одеждой?!

— Город-то курортный, но это уж слишком вызывающе. На тебя все мужики пялиться будут.

— Я обожаю, когда на меня пялятся мужики. Самое страшное для женщины, это когда мужчины вообще перестают смотреть в ее сторону.

Пусть смотрят, коли есть на что смотреть. И вообще, красота — это народное достояние, и она должна принадлежать народу. Когда мы за границей загорали на пляже вообще голяком, по-моему, ты не комплексовала.

— Так ведь это было за границей...

— Я живу в России, поэтому для меня Украина уже заграница.

Катька тяжело вздохнула и осмотрела меня с ног до головы.

— А каблуки ты зачем нацепила?

— Так я буду грациознее, понимаешь?

— И как ты на каблуках собираешься по камням ходить? У нас тут песка нет, почти везде булыжники. Ты ж враз каблуки собьешь.

— Новые куплю.

— Может, лучше я отвезу тебя на интуристовский пляж? Там контингент получше.

— Мой курортник не интурист, — с вызовом ответила я и направилась к выходу.

— Наташка, постой, — никак не могла успокоиться Катька, — может, я тебя на машине отвезу?

— Нет. Я ногами. В твоей машине пахнет бензином, а я должна идти на запах черной икры.

Взяв дочку за руку, я повесила на плечо сумку с полотенцем и, послав Катьке воздушный поцелуй, вышла из дома.

Катька оказалась права. Мужчины смотрели

на меня с нескрываемым восхищением и оборачивались мне вслед. Я шла уверенной походкой манекенщицы, показывая окружающим, что мне нет ни до кого дела, кроме моей дочки. От жары слегка закружилась голова и потемнело в глазах. Первым пляжем, который я начала штурмовать, оказался Массандровский. Я исходила его вдоль и поперек, пристально разглядывая отдыхающих, но так и не смогла найти то, что было бы достойно моего внимания. Одни семейные парочки с явно выраженным украинским акцентом или совершенно не интересовавшие меня мужчины, снявшие жилье без удобств и экономившие даже на газированной воде.

Ялтинское солнце палило нещадно, и дочка стала капризничать, просила окунуть ее в море. Тяжело вздохнув, я еще раз окинула пляж каким-то паническим взглядом и поймала себя на мысли, что Катерина права.

Здесь явно не пахло никаким курортником и даже не было ничего, что напоминало бы о его существовании. Вскоре мне пришлось поддаться уговорам ребенка. Я нашла свободное место, постелила полотенце. К моему великому удивлению, девочка так испугалась волн, что с ужасом смотрела на море и наотрез отказалась войти в воду. Пришлось взять напрокат надувной бассейн, попросить у какой-то семейной пары ведро и наполнить бассейн морской водой до самого верха. Дочке эта затея очень понравилась, и она с удовольствием стала плескаться, позвав девочку, игравшую по соседству. Намазав тело кремом для загара, я огляделась и увидела пляжный бар. Оставив дочку на попечение семейной пары, я ринулась в бар. Присев на высокий крутящийся стул, не раздумывая, заказала двести граммов виски со льдом и стала разглядывать молодого симпатичного бармена. Бармен принял мой взгляд как повод для знакомства.

— Вы откуда приехали? — спросил он и облокотился о стойку бара.

— Из Москвы.

— И как вам в Ялте?

— Никак, — безразличным тоном ответила я и обернулась, чтобы посмотреть на дочку. Она резвилась в бассейне и даже не замечала моего отсутствия. Немного успокоившись, я с улыбкой повернулась к бармену. Он довольно откровенно разглядывал мое бикини.

— Вы приехали одна или с мужем? — продолжал расспрашивать он.

— У меня нет мужа. У меня есть очаровательная дочка, — раздраженно ответила я и посмотрела на часы.

До пяти часов была еще уйма времени, но я все отчетливее понимала, что моя встреча с придуманным курортником совсем нереальна и что не будет никаких катаний на яхте и никаких душераздирающих знойных ночей. Я уже представила, как приеду в Москву и посмотрю в глаза Димке, который, вне всякого сомнения, начнет надо мной издеваться и отпускать различные реплики в мой адрес.

— А что вы делаете сегодня вечером? — перебил мои мысли бармен.

— Я же сказала, что приехала сюда с дочкой.

— Вы хотите сказать, что вы занимаетесь только ребенком и у вас совершенно нет свободного времени?

— Именно это я и хочу сказать.

Бармен внимательно посмотрел на меня и сказал, понизив голос:

— А вы слышали о вчерашней перестрелке в «Интуристе»?

— Нет, — пожала я плечами. — А что, кого-нибудь убили?

— Да. Вся Ялта об этом только и говорит. Убит криминальный авторитет. Расстреляли из автомата прямо в коридоре ресторана. Ходят слухи, что он был не один, а с женщиной. Когда раздалась автоматная очередь, он накрыл ее своим телом и его буквально изрешетило.

— Надо ж, какие страсти! Я смотрю, у вас город какой-то криминальный...

— Город у нас совсем не криминальный. Это первый случай за несколько лет.

Допив виски, я вновь повернулась в сторону

моря и чуть было не упала со стула. Я увидела именно то, что так долго искала и уже потеряла всякую надежду найти. На всякий случай я протерла глаза, чтобы убедиться, что это не сон и не какое-нибудь видение. На дорогом полотенце в соседнем секторе лежал ОН, мой придуманный курортник, и разговаривал по мобильному телефону. Он был восхитительно сложен, а от его ярко-красных плавок у меня потемнело в глазах и пересохло во рту. Быстро оценив ситуацию, я взглядом хищника посмотрела на загорающих рядом с ним людей и поняла, что расчистить площадку, чтобы положить рядом свое полотенце, будет довольно непросто. Рядом с моим курортником плотно обосновались отдыхающие, не было ни сантиметра — не то что постелить полотенце, просто сесть рядом было негде.

Я перевела дыхание, лихорадочно постукивая пальцами по стойке бара. Я прекрасно понимала, что это мой единственный шанс, и я просто обязана его использовать. Рассчитавшись с барменом, я уверенной походкой направилась к дочке и, взяв полотенце, точно так же, как бык идет на красный свет, пошла в сторону ярко-красных плавок своего курортника. Курортник не обратил на меня никакого внимания и, по всей вероятности, был полностью поглощен телефонным разговором. Посмотрев на лежащую рядом с ним семейную пару взглядом, полным презрения, я стала с огромным усилием вклинивать свое полотенце и, не выдержав, злобно прошипела:

— Подвиньтесь. Я хочу здесь лечь.

— Девушка, тут нет места. Мы свое место еще в шесть утра заняли, — растерялась пожилая женщина.

— Я не могу занимать место в шесть утра, потому что в это время я еще сплю, — заявила я и вновь принялась вклинивать свое полотенце.

Семейная пара не выдержала моего напора и немного отодвинулась. Следом за ней стали двигаться и другие, что не могло не вызвать негодования отдыхающих. Наконец, когда мне удалось расстелить свое полотенце, я с облегчением вздохнула и пошла за дочкой. Несмотря на протесты ребенка, я вылила из бассейна воду:

— Дорогая, наше время закончилось. Мы должны сдать бассейн. И вообще, я постелила полотенце в другом месте, и, между прочим, оно туда еле влезло. Если переносить туда бассейн, тогда уж точно придется двигать полпляжа. Твою маму и так костерят на чем свет стоит.

— Я хочу купаться здесь, — протестовала дочка.

— Я же тебе объяснила, время истекло, и мы должны сдать бассейн, — урезонивала я ее.

— Заплати еще, и нам разрешат его оставить, — обиженно сказала дочка.

— Мама деньги не печатает, — возразила я. —

Ты даже не представляешь, какая тут дороговизна. Возьми ведро и лопатку. Будешь играть рядом со мной.

Сдав бассейн в прокат, я нашла свое место и расположилась на полотенце. Курортник лежал на животе, подперев голову руками, и, по всей вероятности, дремал. Это привело меня в бешенство, и я с трудом удержалась, чтобы не отвесить ему хорошенький подзатыльник. Я нарушила мирную игру своего ребенка, расчистила себе место, а он спит как ни в чем не бывало и даже не смотрит в мою сторону! Ситуацию спасла дочка. Она протянула мне игрушечного котенка и жалобно попросила:

— Мама, приделай котенку хвостик.

Поправив бикини, я посмотрела на котенка, на оторванный хвост и, усмехнувшись, слегка потрепала курортника за ухо. Курортник поднял голову и посмотрел ничего не понимающим взглядом.

— Вы не приделаете котенку хвостик? — томно спросила я и улыбнулась.

Курортник сразу принял правила игры, оценивающе оглядел меня и стал чинить игрушку. Я же глядела на лежащий рядом с ним пакет и была просто уверена, что в нем черная икра. Едва он закончил работу и хотел было что-то сказать, как зазвонил мобильный, и он переключился на разговор. Достав зонтик, я раскрыла его над дочкой, из небольшого полотенца сварганила что-то наподобие подушки: время обеденное, ребенку просто необходим сон. Дочка и вправду сразу сладко уснула. Еще раз намазавшись кремом для загара, я скинула лифчик и, оставшись в одних тоненьких откровенных трусиках, повернулась к курортнику. Мне показалось, что на какое-то мгновение он потерял дар речи и совершенно бесцеремонно уставился на мою грудь. Его собеседник, похоже, стал нервничать. Сделав вид, что он меня совершенно не интересует, я легла на живот и стала рисовать на песке какие-то незамысловатые узоры. Уже через нссколько секунд мой курортник раскраснелся до такой степени, что казалось, еще немного и из его огненно-красной головы вырвется самое настоящее пламя. Его голос заметно дрожал, он стал раздражительным.

— Короче, Вадим, ты мне звонишь уже пятый раз и не даешь нормально отдохнуть! — почти кричал он. — Я уже тысячу раз пожалел о том, что подписал с тобой контракт. Если ты не можешь нормально справляться с текущими делами, я просто уволю тебя к чертовой матери! Говорю тебе в последний раз — я на отдыхе, и ты должен полностью меня замещать. Учись принимать решения самостоятельно! Если ты ничего не можешь без меня сделать, на кой хрен ты мне нужен! И если, не дай бог, ты напортачишь, я откручу тебе голову. Звони мне только в случае крайней необходимости и не дергай по пустякам. Не понимаю, за что я тебе плачу! Все, до связи!

Отключив телефон, он вновь посмотрел на меня с неподдельным интересом. Я повернулась и сочувственно покачала головой:

— Я бы на вашем месте уволила этого Вадима ко всем чертям. Чтобы производственный механизм функционировал нормально, нужно избавляться от людей, которые засиделись в своих креслах, зажрались и не могут справляться со своими обязанностями.

— Именно так я и сделаю, — рассмеялся курортник, по-прежнему не сводя с меня глаз.

— Подпишите контракт со мной. Я умею работать в полную силу и всегда приношу удачу, — интригующе произнесла я и поправила упавшую прядь волос.

— С удовольствием, но только с одним условием, — курортник вновь рассмеялся.

— И какое же это условие?

— Вы должны быть не замужем.

— Вам как раз повезло. Наше знакомство произошло именно в тот период, когда я не замужем.

— Надо же, а вы что, так часто бываете замужем?

— Периодически.

— Действительно, получается, что мне повезло!

— Получается так.

Курортник закурил и хотел что-то сказать, но тут вновь зазвонил мобильный. Курортник изменился в лице.

— Это Вадим, — сказала я. — Совсем, подлец, работать не хочет. Ну ничего, как только вы вернетесь, он сразу получит по заслугам. Только построже, не пускайте все на самотек. Тем более у вас уже есть кандидатура на его место.

Мой новый знакомый расплылся в улыбке, но тут же нахмурился и закричал в трубку таким голосом, что в нашу сторону повернулось ровно полпляжа:

— Вадим, я говорю тебе последний раз!!! Учись принимать решения самостоятельно. Меня нет. Если ты не можешь принять решение в таком пустячном деле, как ты собираешься решать более крупные вопросы?! И вообще, на твое место у меня есть отличная кандидатура, так что учись трезво оценивать ситуацию!

Я захлопала в ладоши и торжественно произнесла:

— Молодец! С ними только так и надо! Вы были на высоте! Мне очень приятно, что вас устроила моя кандидатура!

Курортник улыбнулся и пристально посмотрел мне в глаза.

— Вам кто-нибудь говорил, что вы очень красивая?

— Да, я это слышу каждый день.

— Вы не просто красивая, а очень красивая. Это совсем разные вещи. Это ваша дочка? — Курортник дотронулся до моей руки.

— Да, — ответила я.

— А где же ваш муж?

— Если у женщины есть ребенок, то необязательно, чтобы у нее был муж.

— И что же произошло?

— Вам не кажется, что вы очень любопытны?

— Кажется. И вообще, давай перейдем на «ты». И все-таки, что же произошло?

— Прямо так взять и сразу же все рассказать?

— А почему бы и нет?

Я вновь продемонстрировала курортнику свою грудь и театрально взмахнула руками.

— Мы не сошлись характерами.

— Это не аргумент.

— При разводе не бывает одного-единственного аргумента, при разводе их появляется целое множество. Мы все в этой жизни вправе допускать ошибки, никто от них не застрахован. Так вот, мой последний брак был обыкновенной ошибкой. Я просто просчиталась. Я полюбила человека, который совершенно не стоил моей любви. — Я тяжело вздохнула и поймала себя на мысли, что в последнее время стала слишком сентиментальной и готова буквально первому встречному жаловаться на свою жизнь.

Неожиданно вновь зазвонил мобильный. Мы переглянулись.

— Это Вадим, — улыбнулась я. — Я вообще не представляю, как ты мог оставить его вместо себя. Он такой нерешительный.

Мой новый знакомый повертел трубку в руках.

— А давай его отключим к чертовой матери, — предложил он и отключил мобильный.

— Ты считаешь, что Вадим справится? — наигранно испугалась я и села.

Он пожал плечами и взял меня за руку. Я обернулась и посмотрела на волны, которые громко плескались о берег. Я чувствовала себя превосходно: рядом со мной мирно посапывала дочка, красовалось разбушевавшееся море и лежал ОН, мой придуманный курортник, который смотрел на меня таким пожирающим взглядом, что у меня просто перехватывало дыхание. Меня охватило предвкушение чуда и необузданной страсти. Нежно прильнув к уху курортника, я прошептала:

— Будь другом, присмотри за ребенком. Я хочу искупаться.

Не дожидаясь ответа, я направилась к морю и ликовала оттого, что все мое естество чувствовало его пристальный, пожирающий взгляд. Дойдя до кромки воды, я погрузилась в набегающую пену и стала жадно ловить возбуждающие лучики солнца. Я чувствовала пристальные мужские взгляды и приходила в неописуемый восторг. Мне было приятно, что, несмотря на свои года, я сохранила фигуру молоденькой девушки, на моем изящном теле не было ни одного изъяна. Наверное, это произошло оттого, что я всегда любила себя больше, чем кого-либо из мужчин, и всегда восхищалась своим телом. Никто не сможет любить тебя больше, чем ты сама, и только ты сама сможешь оценить себя по достоинству. Полежав несколько минут, я вышла из воды. Курортник не сводил с меня глаз. Я предоставила ему возможность по достоинству оценить мою фигуру и села рядом. Он достал платок, вытер пот со лба и, слегка задыхаясь, спросил:

— Кто ты?

— Тебя интересует мое имя?

— Меня интересует все, что касается тебя.

— Меня зовут Натальей. Я приехала из Москвы, чтобы ребенок мог подышать морским воздухом.

Я посмотрела на ярко-красные плавки своего нового знакомого и остановила откровенный взгляд на его выпирающем мужском достоинстве.

— Я хочу знать про тебя все, — повторил он.

— Про меня невозможно знать все. Если я

начну про себя рассказывать, нам пе хватит времени. Это слишком долго и слишком серьезно.

Я с улыбкой посмотрела на пакет, лежащий рядом с курортником, и тихо спросила:

— Что у тсбя в пакете?

Курортник слегка опешил от моего вопроса и удивленно пожал плечами.

— Да так, ничего особенного.

— Хочешь, я угадаю, что в нем лежит?

— Ну, угадай.

— В твоем пакете — черная икра.

Мой новый знакомый громко рассмеялся и вновь взял меня за руку.

— А почему ты решила, что у меня в пакете должна быть черная икра?

— Я в этом просто уверена.

Он поднял пакет и высыпал его содержимое на полотенце. Из пакета посыпалось несколько газет и журналов. Я на мгновение потеряла дар речи. Никакой черной икрой там даже и не пахло.

— А где же черная икра?

Мой вопрос привел курортника в замешательство. Он посмотрел на меня каким-то растерянным взглядом и недоуменно нахмурился.

— Да какая, к черту, черная икра? Разве она полезет в такую жару? Ну, если ты так сильно хочешь, завтра я приду с черной икрой. Для меня это не проблема.

— Просто я подумала, что ты вообще без нее не можешь. Мне казалось, что ты ее ешь по несколько банок в день.

— Да что ты могла про меня знать, если мы с тобой познакомились полчаса назад?

Немного насупившись, я разочарованно посмотрела на него:

— Я думала, что знаю про тебя все.

— Ты сумасшедшая, — постарался сгладить ситуацию курортник. — Хорошо. Если хочешь, будет по-твоему. Завтра я приду на пляж с черной икрой и буду ею давиться до посинения. Ты даже не спросила, как меня зовут. Еще скажи, что после того, как ты увидела содержимое моего пакета, я стал тебе совсем не интересен.

— Ну и как тебя зовут?

— Олег.

— И каким ветром тебя занесло в Ялту?

Я слегка приподнялась, моя грудь оказалась на уровне носа курортника и, вне всякого сомнения, заинтересовала его еще больше. Он запыхтел, как паровоз, и, по всей вероятности, забыл про окружающих нас людей. Это меня заметно развеселило и улучшило упавшее было настроение.

— Я приехала сюда для того, чтобы найти тебя, — сказала я серьезно и стала с нетерпением ждать ответа.

Мои слова произвели на курортника вполне понятное впечатление — он растерялся.

— А откуда ты про меня узнала?

— У меня особое чутье. Я искала тебя с самого утра. Я знала, что ты где-то рядом, только не знала, в каком секторе ты загораешь.

У моего нового знакомого округлились глаза.

— Ты уверена, что я именно тот, кого ты искала?

— Уверена. А теперь я хочу знать, кто ты и как ты узнал, что для того, чтобы встретиться со мной, тебе нужно было срочно вылететь в Ялту?

— Начнем с того, что некоторое время назад я вообще не знал о твоем существовании, о чем сейчас очень жалею. Я живу в ФРГ, в городе Бремене, держу сеть русских магазинов. Я эмигрировал почти десять лет назад и прилетаю в Ялту каждый год, потому что здесь живут мои родители и осталось очень много друзей.

— Именно таким я тебя и представляла, — восторженно произнесла я и посмотрела на курортника взглядом, полным восхищения.

Он рассмеялся и вновь оглядел меня с ног до головы:

— Правда, я допустил одну ошибку. Пришел без черной икры, но эта ситуация поправимая. Теперь я знаю, чем можно покорить твое сердце.

— Считай, что ты его уже покорил, — весело подмигнула я и посмотрела на часы.

Курортник уловил мой взгляд и огорченно спросил:

— Ты куда-то торопишься?

— К сожалению, да. В пять часов я должна вернуться домой. У меня очень важная встреча, но ничего, мы обязательно увидимся завтра на пляже.

— А твою встречу нельзя перенести?

— В том-то и дело, что нет. Я и сама расстроилась еще вчера, когда узнала, что сегодня вечером я не свободна. Мне хотелось провести этот вечер с тобой.

— Но ведь ты вчера обо мне ничего не знала?!

— Я знала о тебе еще в Москве, иначе какого бы черта я сюда прилетела?!

— Теперь я понимаю, каким образом ты очутилась рядом со мной. Ты так настырно освобождала соседнее место...

— Но ведь ты разговаривал по телефону и ничего не видел!

— Я просто не подавал виду. Разве тебя можно не заметить? На тебя тут полпляжа оборачивалось.

— Ах ты, гад ползучий! Тогда чего же притворялся, что спишь?

— Мне хотелось посмотреть, какой ход ты сделаешь дальше.

— И какой ход я сделала дальше?

— Ты оказалась оригинальнее, чем я думал.

Ты сняла лифчик и стала крутить у меня перед носом своей восхитительной грудью. Ты решила сразить меня наповал.

Я усмехнулась и изогнулась, как дикая кошка. Затем приблизилась к курортнику вплотную и прошептала:

— Я надеюсь, мне это удалось?

— А что, ты когда-то сомневалась в своих способностях?

Проснулась дочка, и я поняла, что мне необходимо собираться. Надев верх от купальника, я повязала талию просвечивающей косынкой и посмотрела на курортника грустным взглядом.

— Встречаемся завтра в одиннадцать на этом же месте, — отчеканила я. — И пожалуйста, побеспокойся о том, чтобы завтра мне не пришлось расчищать площадку. Займи место для меня и дочки. И еще, узнай, где можно арендовать яхту.

— Ты хочешь покататься на яхте?

— Да, уже давно. Еще в Москве я представляла, как мы будем кататься на яхте и наслаждаться обществом друг друга.

— Ты знаешь, что ты ненормальная?

— Да. Для меня это не новость. Я слышу это довольно часто.

Вновь посмотрев на часы, я поняла, что в моем распоряжении осталось совсем мало времени, и чмокнула своего курортника в щеку.

— Может быть, мы все-таки увидимся вечером? — никак не хотел сдаваться он.

— Сегодня не могу, честное слово. Зато с завтрашнего дня я буду полностью в твоем распоряжении. У меня впереди десять дней.

— Ты приехала на десять дней?

— Да, и я безумно рада, что смогла найти тебя в первый же день. Ты только представь, что было бы, если бы я нашла тебя прямо перед самым отъездом?!

— Не представляю, — курортник вновь рассмеялся. — А почему ты не спрашиваешь, холост я или женат?

— Потому что это глупый вопрос. Разве на курортах бывают женатые мужчины? Я всегда думала, что на курортах одни закоренелые холостяки.

— Так вот, тебе повезло. На данный момент я холост. Так что можешь смело приезжать ко мне в Бремен, почтить своим присутствием мою холостяцкую обитель.

— При чем тут Бремен? У нас с тобой курортный роман, — лукаво произнесла я и, помахав своему курортнику ручкой, направилась к выходу.

Даже спиной я чувствовала его пристальный взгляд, пронизывающий все мое тело, и никак не могла справиться с учащенным сердцебиением. Мой новый знакомый мне, бесспорно, понравился, и я твердо знала одно — эти отношения никогда не будут изуродованы пошлостью повседневности. Все будет красиво, ярко и скоротечно... Наверно, именно от осознания того, что этот роман продлится всего десять дней, мне хотелось изо всех сил цепляться за каждый проведенный день и каждый подаренный богом час. Я слишком много любила и слишком много теряла. Больше мне не хочется ни того ни другого. Я дошла до той черты, когда меня устраивает состояние влюбленности и я не хочу претендовать на большее. Я привыкла к этому состоянию, и оно стало моей неотъемлемой частью. Для меня это так же важно, как дышать воздухом. Зайдя в придорожное кафе, я накормила дочку и направилась к Катерине.

## ГЛАВА 6

Подходя к Катькиному дому, я почувствовала неладное: Катька сидела на крыльце, подперев голову рукой, и заметно нервничала. Увидев меня, она вскочила и закричала:

— Тебя где черти носят? Шестой час! Я уже, грешным делом, подумала, что мне придется самой идти к Глобусу и отдуваться за вчерашнюю перестрелку!

— Сейчас мне меньше всего на свете хочется лицезреть этого проклятого Глобуса, — безразлично сказала я и вошла в дом.

Катька бросилась следом.

— Хочется не хочется, а идти придется. Дело нешуточное. Если мы не придем, Глобус перевернет мой дом вверх дном. Детей мать увезет к себе. Можешь быть спокойна. Немедленно переодевайся. Времени осталось в обрез. Ты же не пойдешь к Глобусу в таком наряде?

— А чем тебя не устраивает мой наряд? — вызывающе спросила я.

— Тем, что он отымеет тебя, не выходя из машины. Послушай меня, оденься попроще.

Я не стала перечить и быстро переоделась. Катька с любопытством глядела на меня.

— Наташка, ты что-то странно выглядишь, — наконец не выдержала она.

— И что же ты находишь странного?

— Прямо светишься вся изнутри. Неужели с кем-нибудь познакомилась?

— А ты сомневалась?

— Неужели с курортником?

— Представь себе, — сказала я и загадочно улыбнулась.

— Он был в красных плавках?

— В огненно-красных плавках, — поправила я подругу.

— И ты, как упрямый бык, пошла на красный цвет?

— Не пошла, а побежала.

— Ты голодной-то не выглядишь! Наверно, черной икры налопалась?

— Не успела, но ничего страшного, завтра нагоню.

— И кем работает твой избранник?

— Он живет в Германии, держит сеть русских магазинов.

— Он что, немец?

— Он эмигрант.

— Тогда какого черта он делает в Ялте?

— Он прилетел сюда для того, чтобы встретиться со мной.

Сообразив, что у нас не осталось времени для обсуждения моего курортника, я поторопила Катерину:

— Нам пора.

Она взяла ключи от машины и направилась к выходу. У беседки дочка весело играла с Катькиными детьми. Поцеловав ее, я села в машину и поняла, что страшно волнуюсь. Катерина, взглянув на меня, еле слышно произнесла:

— Главное, не нервничай. Все будет нормально. Объясним Глобусу, как все было на самом деле, и поедем по своим делам.

— Хорошо, если все будет именно так, — вздохнула я и помахала дочке рукой.

Минут через пятнадцать мы уже стояли у входа в «Интурист» и ждали Глобуса. Часы показывали начало седьмого.

— Так можно просидеть до самого утра. Где твой Глобус? — раздраженно спросила я.

— Он такой же мой, как и твой. Не переживай, сейчас подрулит. Ты что, куда-то торопишься?

— Мне торопиться некуда. Со своим курортником я встречаюсь завтра на пляже.

Наконец появился черный джип, остановился рядом с нашей машиной и поморгал нам фарами.

— Вот и Глобус подъехал, — сказала Катька и выключила магнитолу. — Ну что, пошли?

— А с чего бы это мы к нему шли? В конце концов, эта встреча в его интересах, — попыталась возмутиться я. — Сено за коровой не ходит.

Не обратив внимания, Катька вышла из машины. Мне ничего не оставалось, как выйти следом за ней и подойти к джипу. Задняя дверь открылась, и из нее выскочил здоровый качок. Оглядев нас оценивающим взглядом, он усмехнулся:

— Кто из вас был свидетелем вчерашней перестрелки?

— Я, — с трудом выдавила я и потупила глаза.

— Тогда садись в машину. Поедешь на разговор с Глобусом.

Мы с Катериной испуганно переглянулись. Катерина попыталась образумить братка:

— Мы так не договаривались. Нам вчера было сказано, что Глобус сам приедет сюда. Я свою подругу никуда не отпущу. Если хотите разговаривать, то давайте поговорим прямо здесь. Тем более что разговор короткий, и ничего нового вы не услышите.

Я закивала головой. Мордоворот нахмурился:

— Я же, по-моему, ясно сказал: одна из вас садится в машину и едет на разговор.

Схватив Катьку за руку, я жалобно посмотрела на нее:

— Я одна никуда не поеду.

— Куда ты денешься, — усмехнулся мордоворот. — Не испытывай мое терпение, залазь в машину. Поговоришь с Глобусом, и привезу тебя обратно.

— Мы поедем только вдвоем, — решительно сказала Катька и покраснела, как вареный рак.

Мордоворот не на шутку разозлился и, оттолкнув Катьку, самым наглым образом пихнул меня в машину. В машине были двое. Один из братков сидел за рулем, а тот, что так бесцеремонно обошелся со мной, разместился рядом. Он что-то напевал себе под нос и не обращал на меня никакого внимания. Я сидела как каменная и прокручивала в памяти события, которые произошли со мной вчера вечером в ресторане. И угораздило же меня попасть в эту неприятнейшую ситуацию... Мало того что я чуть было не лишилась жизни, так теперь еще неизвестно, какие последствия могут быть. Меня грела только одна мысль — среди такого скопления отдыхающих я все же нашла ЕГО, своего придуманного курортника... При воспоминании о новом знакомом у меня учащенно забилось сердце, по телу прокатилась приятная истома.

Машина притормозила у большого добротного дома, обнесенного высоким каменным забором.

— Приехали, — мордоворот похлопал меня по плечу и велел выходить. Меня привели на просторную террасу, рядом с которой находился красивый бассейн с голубой, прозрачной, как самое чистое стекло, водой. Сев в шезлонг, я положила ногу на ногу и стала терпеливо ждать. Не прошло и пяти минут, как появился интересный мужчина лет сорока пяти и вежливо спросил:

— Вас зовут Наташа?

Я утвердительно кивнула и спросила в свою очередь:

— А вы и есть Глобус?

Мужчина громко рассмеялся и не ответил на мой вопрос. Один из братков подкатил сервировочный столик, на котором стояла бутылка мартини и два фужера. Глобус разлил вино. Я любезно поблагодарила его кивком головы и осушила бокал до дна. Заметив удивленный взгляд Глобуса, я постаралась изобразить что-то наподобие улыбки и сказала совсем тихим голосом:

— Вас удивило, что я так быстро выпила свой бокал? Не обращайте внимания, это просто нервы.

— Мне не жалко, — пожал плечами Глобус и налил мне второй бокал. — Можешь пить сколько хочешь.

Он внимательно посмотрел на меня:

— Ты нервничаешь из-за Мазая?

— А чего мне из-за него нервничать? Я нервничаю из-за того, что один из ваших людей просто по-хамски закинул меня в машину и привез неизвестно куда.

— Как это неизвестно? Он доставил тебя ко мне. Как только мы с тобой обстоятельно обо всем поговорим, он доставит тебя туда, где взял.

Я осушила второй бокал. Глобус был действительно интересным мужчиной. В нем чувствовалась порода. Настоящая порода. Я всегда искала это качество в мужчинах, но находила крайне редко. Довольно часто в дорогих костюмах и ультрамодных ботинках являлись беспородные дворняги. Глобус был совершенно другой, и я почувствовала это сразу.

— Тебе кто-нибудь говорил, что ты очень красивая женщина? — прервал мои размышления Глобус.

— Да, сегодня на пляже, — мечтательно сказала я и вспомнила своего курортника.

— Ты была сегодня на пляже?

— Да, а почему вас это удивляет?

— Нервы у тебя — будь здоров! Ведь вчера расстреляли твоего близкого человека и чуть было не лишили жизни тебя. Любая другая девушка проливала бы слезы по любимому, а ты, значит, уже успела на пляж сходить?

— Успела. У меня всего десять дней, мне хочется вернуться с красивым загаром. Я ведь сюда приехала купаться, загорать и слушать, как поет моя подруга.

— Ты замужем?

— Пока нет.

— Что значит пока? Собираешься, что ли?

— Пока нет. Брак — явление относительное. Сегодня замужем, а завтра развелась, послезавтра по новой. Дурное дело не хитрое.

— Это ты верно подметила. А с Мазаем ты была в каких отношениях?

— Вообще ни в каких: вчера я его видела первый и последний раз в жизни. Я хотела пройти в туалетную комнату, но он перегородил мне дорогу. Если я не ошибаюсь, он хотел со мной познакомиться. Просто он это делал грубо, совсем не по-джентльменски. В общем, мы даже не успели познакомиться. Началась пальба.

— Значит, ты утверждаешь, что ты для Мазая просто случайная знакомая?

— Да меня даже и знакомой-то нельзя назвать. Перекинулись парой-тройкой слов, и все.

— Тогда какого черта он накрыл тебя своим телом?

— Да не накрывал он меня ничем... Он просто так упал. Он же мне чуть все внутренности не отдавил. В нем живого веса черт знает сколько. Я вообще не понимаю, как все это выдержала.

— Если бы Мазай тебя не накрыл, то вчера в ресторане был бы не один труп, а два.

— Мне хотелось бы сказать ему спасибо, но боюсь, он меня просто не услышит.

Глобус сделал глоток мартини и задумчиво посмотрел на свой бокал:

— Мазай был моим очень хорошим товарищем. Я просто обязан докопаться до сути. Кому он мог помешать? Нас связывали многие годы дружбы и настоящего братства. Вчера ночью я узнал о его гибели. Для меня это довольно тяжелая личная драма, а ты являешься той маленькой ниточкой, которая может привести к правильному ответу. Я чувствую, что здесь что-то не так, ты что-то не договариваешь, чего-то боишься. Доверься мне и расскажи правду. Скажи, Мазай часто приезжал к тебе в Москву? Может, он что-то рассказывал тебе о своих врагах?

Я поняла, что он не верит мне, и тяжело вздохнула:

— Глобус, я сказала все, что знала, мне нечего добавить. Я видела вашего Мазая не больше трех минут. Он не мог рассказать мне о своих врагах.

Глобус закурил трубку. Я тупо смотрела на бассейн и молила бога только об одном — чтобы этот допрос поскорее закончился. Неожиданно Глобус ударил кулаком по столу и сделал такое свирепое лицо, что мне захотелось вскочить и броситься со всех ног прочь. Я почувствовала, как затряслись мои колени.

— Если ты сейчас не расскажешь мне всю правду о своих отношениях с Мазаем, мои люди утопят тебя прямо в этом бассейне, — донеслось до моих ушей.

Взглянув на Глобуса, я поняла, что он не шутит. Ситуация была безвыходной. Перед глазами все поплыло, а в ушах чудовищно загудело.

— Я хочу мартини, — жалобно простонала я и посмотрела на пустой бокал.

Не сказав ни слова, Глобус налил мне полный бокал, достал из кармана пистолет и положил себе на колени. Я, как ненормальная, захлопала глазами, машинально осушила бокал и уставилась на пистолет.

— Что это? — не слыша своего голоса, спросила я.

— Пистолет, — ответил Глобус.

— Настоящий?

— Понятное дело, не игрушечный.

— Зачем?

— Затем, чтобы было удобнее скидывать тебя в бассейн.

Я посмотрела на прозрачную голубую воду и сказала почти шепотом:

— Вода в бассейне уж больно красивая, как на картинке. Если в нее скинуть труп, она сразу потеряет свою красоту.

— Можешь не беспокоиться. Вода тут меняется каждый день.

— И часто вы скидываете сюда трупы?

— Приходится иногда. Особенно когда встречаются несговорчивые дамочки, вроде тебя.

От страха я нечаянно уронила бокал, он с грохотом упал на плиточную дорожку и разлетелся на мелкие кусочки. И тут я поняла, что меня может спасти только ложь. Никто не поверит, что я была знакома с этим проклятым Мазаем всего несколько минут.

— Хорошо. Я все расскажу, — словно во сне произнесла я и прикусила губу.

— Вот это другое дело. — Глобус слегка меня приобнял. — Я знал, что ты хорошая девочка и сделаешь то, что от тебя требуется. Если бы ты была дурой, мой товарищ никогда не заслонил бы тебя своим телом.

Он сунул пистолет в карман и махнул одному из своих братков. Буквально через несколько секунд на сервировочном столике появилась новая бутылка и новый фужер. Сделав несколько глотков, я принялась фантазировать:

— Вчера убили не только твоего лучшего товарища, но и близкого мне человека. Мы с Мазаем любили друг друга на протяжении долгих месяцев. Он замечательный мужчина, я сильно о нем скорблю, просто я очень скрытный человек и не могу показывать свои чувства. Наверно, именно поэтому я не глотала валидол, а пошла на пляж. Я буду помнить о нем вечно и никогда его не забуду...

Я так хорошо вошла в роль, что даже почувствовала, как на моих глазах выступили слезы. Мне вдруг показалось, что я на сцене и играю роль скорбящей вдовы. Смахнув слезу, я всхлипнула и упала Глобусу на грудь, потом громко заревела и театрально взмахнула руками.

— Глобус, скажи, ну почему жизнь такая несправедливая? Почему она отнимает у нас самых лучших, оставляя только одних идиотов? Мазай всегда был и останется человеком с большой буквы! Он был просто прекрасный друг и любовник!

Глобус немного опешил и погладил меня по голове. Затем достал платок, вытер мои слезы и как-то по-отечески сказал:

— Успокойся, детка. Мне понятно твое горе. Я задушу собственными руками того проклятого гада, который его застрелил.

Откинув голову, я посмотрела на Глобуса молящим взглядом и громко запричитала:

— Глобус, обещай, что ты отомстишь за это преступление! Обещай, что ты накажешь всех, кто помешал моему счастью!

— Обещаю. — Глобус поцеловал меня в лоб и снова вытер мои слезы.

— Представляешь, а ведь мы должны были пожениться... — более спокойным тоном сказала я.

Глобус поперхнулся и громко закашлялся. Почувствовав, что сказала лишнее, я постучала его по спине и снова приложилась к мартини. Спиртное успокоило меня, а вскоре я поняла, что у меня полностью исчезло чувство страха. Как только Глобус прокашлялся, я посмотрела на него полупьяным взглядом и чуть слышно спросила:

— Я сказала что-то не так?

— Ты сказала, что Мазай собирался на тебе жениться.

— Да, а что ты имеешь против, — вызывающе сказала я. — По-твоему, на таких, как я, не женятся? С такими только гуляют?

— Да я не это имел в виду, — махнул рукой Глобус. — Просто Мазай уже десять лет как женат и вроде разводиться не собирался...

— Ты хочешь сказать, что он меня обманывал?

— После того как он закрыл тебя своим телом, я даже не знаю, что и думать.

— Мазай хотел развестись, — решительно произнесла я и вновь приложилась к мартини.

Глобус посмотрел на меня подозрительным взглядом и со словами «хватит пить» отобрал у меня бутылку.

— Тебе что, мартини жалко, — не на шутку обиделась я и почувствовала, как у меня поплыло перед глазами.

— Ничего мне не жалко. Просто ты уже и так достаточно набралась. Еще немного, и получится не деловой разговор, а какой-то пьяный базар.

— А чем я, по-твоему, должна свое горе залечивать? У меня, может, душа болит! Не каждый день у меня любимых мужчин убивают.

— А что ж ты сегодня на пляж ходила, а не горе залечивала?

— Потому что на пляже народ, — не моргнув глазом, сказала я.

— А при чем тут народ?

— При том, что со своим горем один на один никогда нельзя оставаться. Нужно идти туда, где люди. Сразу становится легче, понимаешь?

— Я смотрю, ты так свое горе залечивала, что получила сегодня неплохой загар.

— А как тут его можно не получить, если жара стоит тридцать с лишним градусов! Мне кажется, даже в тени можно неплохо подзагореть.

— Ладно, а теперь расскажи, что тебе Мазай про свои дела говорил. Может, он что-нибудь чувствовал, может, кого-то боялся?

— По-моему, это должен знать ты, а не я. Мы с ним о делах вообще не говорили. Он был очень умный мужчина и никогда не посвящал в свои дела женщину. Чем меньше женщина будет знать, тем она спокойнее будет спать.

— Не скажи. Иногда бабам говорят такое, чего даже близкие друзья не знают.

— Мазай не посвящал меня в свои дела, — сказала я полупьяным голосом и для пущей убедительности замахала головой.

Глобус вновь закурил трубку, он заметно нервничал. Я поняла, что ситуация поворачивается в неблагоприятную сторону, и стала усиленно думать, как мне побыстрее выбраться из этого дома. Я посмотрела на Глобуса и жалобно простонала:

— Глобус, я тебя очень прошу, скажи своим братанам, чтобы отвезли меня к «Интуристу». Там за меня очень переживает подруга. Если ты хоть немного уважаешь Мазая, его память, то разреши мне уехать.

Замолчав, я стала ерзать на стуле и в который раз посмотрела в сторону бассейна. Неожиданно Глобус расплылся в жутковатой улыбке и произнес вполне серьезным голосом:

— Хорошо. Ты умная женщина, и я просто уверен, что мы с тобой найдем общий язык. Давай сделаем так: ты оказываешь мне одну пустяковую услугу, а я не имею к тебе никаких претензий по поводу смерти моего товарища.

— Какую еще услугу? — не поняла я.

— Я же сказал, услуга пустяковая, можно сказать, даже незначительная. Мне нужно подставить одного зажравшегося комерса и раскрутить его на деньги. Для этого дела мне понадобится красивая, умная, сообразительная девушка.

— А я здесь при чем?

— При том, что ты и являешься этой девушкой.

— Я?!

— Ты. Ты же не дура?

— Ну, допустим.

— Так оно и есть. Я людей сразу вижу. Тем более тебя любил Мазай.

— И ты готов подставить любимую девушку своего друга?

— Я тебя не подставляю, а просто прошу об услуге.

— Разве так просят?

— По-другому я просить не умею.

— А что будет, если я откажу?

— Ничего хорошего не будет, поверь.

— Но ведь это самый настоящий шантаж?!

— Можешь воспринимать так, как тебе это больше нравится. Ну что, Наталья, договорились?! Это дело совершенно безопасное для твоей жизни. Ты оказываешь мне услугу, а я забываю о том, что в момент гибели Мазая ты была рядом.

— Что я должна делать?

— Об этом ты узнаешь завтра. Не торопи события. Завтра в пять часов вечера подойдешь к «Интуристу». Туда подъедут мои люди и дадут полный расклад твоей предстоящей работы. И не вздумай пропустить мои слова мимо ушей. С тобой никто не шутит.

Сжав кулаки, я утвердительно кивнула и встала. Глобус проводил меня до машины. Я чувствовала, что могу разреветься в любую минуту...

## ГЛАВА 7

Как только джип остановился у «Интуриста», я выскочила и бросилась в ресторан. В центре зала стояла Катерина и, бурно жестикулируя, что-то говорила бармену. Увидев меня, она замолчала и открыла рот.

— Все нормально, — сказала я. — Можешь закрыть рот. Это не привидение, это я. — Я обняла ее.

— Все обошлось? — с надеждой спросила Катерина. Она была перепугана.

— Мне кажется, что все только начинается.

— Но ведь тебя отпустили?

— Отпустили, но только до завтра.

Я перевела дыхание и поведала о том, что произошло в доме Глобуса. Катька внимательно меня слушала, но тут администратор позвал ее на сцену, и она ушла, бросив на ходу:

— Садись за столик, потом поговорим.

Я села за столик у стены и заказала виски. От нескольких глотков мне стало еще хуже, настроение стало настолько паршивым, что я готова была поплакаться в жилетку первому встречному. Перед моими пьяными глазами вставал Мазай и целое море крови, затем Глобус с пистолетом, ледяной взгляд, от которого спину покрывал холодный пот. Меня била мелкая дрожь.

Наверно, правду говорят, думала я, что у влечения человека три источника: душа, разум и тело. И только их единство порождает любовь. По прошествии нескольких лет жизни с моим бывшим мужем мне стало ясно, что у нас остался всего один общий источник — тело. Не было в нашей семье ни общих интересов или увлечений, не было общности душ, взаимоуважения, взаимопонимания, не было сопереживания. Я начала замыкаться в себе, училась быть сильной. Наши отношения колебались все с большей амплитудой, от жара до мороза. Таких перепадов не выдерживают даже скальные породы, проходит время, и они разрушаются. То же самое произошло и с нашей семьей. Мы расстались, и я начала приходить в себя от диктаторства, вечного прессинга, изматывающего душу. Все люди разные. Кто-то ищет всю жизнь, ошибается, обжигается и снова верит, а кто-то больше не хочет повторений. В последнее время я руководствуюсь вторым и пребываю в состоянии нелюбви. Есть такая страшная штука, как одиночество. Особенно страшно одиночество в семейной жизни. В моей бывшей семейной жизни всегда получалось так, что со своими проблемами я оставалась один на один с собой. Все это тяготило меня. Я развелась и ни разу об этом не пожалела. Теперь я знаю точно — мое сердце на замке, а ключи к нему навсегда утеряны.

В этот вечер Катерина пела так искренне, что у меня покатились слезы. Заметив это, она помахала мне рукой и жестом показала, чтобы я немедленно взяла себя в руки. Кое-кто заметил наш безмолвный разговор. Люди стали оборачиваться на меня, и я показала Катьке кулак, давая понять, что не хочу, чтобы на меня обращали внимание. В конце концов могу же я позволить себе хоть изредка быть слабой и беззащитной. Катерина вновь затянула песню о грустной любви, в зале погас свет, на столах зажглись свечи. Я смотрела на свечу, пила виски и смахивала слезы. Меня охватила жуткая тоска, и я почувствовала, что еще немного, и я уже готова буду посадить рядом с собой первого попавшегося официанта, чтобы поплакаться на свою неспокойную и несложившуюся жизнь. Почему-то мне вспомнился случай, когда мой муж уехал в командировку, а я случайно встретилась с его близким другом в каком-то супермаркете. Мы уже давно симпатизировали друг другу и без лишних разговоров поехали ко мне домой. Мы провели прекрасный вечер. У меня не было необходимости что-то изображать, казаться иной, чем я есть на самом деле. Мы непринужденно болтали обо всем на свете, а потом он встал, взял меня на руки и понес на кровать. В ту ночь я ни о чем не думала и только потом поняла, как это здорово — лежать с мужчиной в одной кровати и ни о чем не думать. Пока отсутствовал муж, мы почти не вылезали из постели. Мой любовник закидывал меня розами, готовил завтраки, приносил их в постель. Я влюбилась по самые уши и, к своему стыду, почувствовала, что мне нравится обманывать мужа. Я отчетливо помню нашу последнюю ночь накануне возвращения мужа из командировки. Мы не спали. Мой любовник настойчиво допытывался, где и когда мы увидимся в следующий раз. Утром мы распрощались. Он — до следующей встречи, а я — навсегда. В этот же день из командировки вернулся мой муж, а вечером к нам пришли его друзья. Среди них был и мой любовник. Мы сидели напротив друг друга, смотрели в глаза, и неожиданно для себя я подняла свою ногу и положила ее под столом ему между ног. Через несколько минут мы стояли на балконе, тесно прижавшись друг к другу, и выясняли отношения. Он был крайне настойчив, уговаривал меня переехать к нему, но я не соглашалась. Я даже не могла представить, как я смогу сказать об этом мужу. А затем мы не удержались и, забыв обо всем, слились в страстном поцелуе. Открыв глаза, я увидела, что у входа на балкон стоит мой муж и внимательно наблюдает за происходящим. Я ждала, что сейчас разразится жуткий скандал, и это послужит поводом для развода, но никакого скандала не последовало. Муж сделал вид, что ничего не случилось. Я осталась с ним, а его друг навсегда уехал из города. С тех пор прошло много времени, я развелась с мужем и жалею о том, что тогда так и не захотела прислушаться к своему сердцу...

Рядом с моим столиком появилась Катька. Я и не заметила, когда закончилась музыка.

— Хорош раскисать! Посмотри, на кого ты похожа, — прошептала она.

— На кого?

— На размазню, вот на кого!

— Что ты взъелась? В конце концов я могу расслабиться или нет?

— Не можешь и даже не имеешь права. Ты всегда была сильной. Если ты перестанешь быть сильной, что тогда останется делать мне?

Я вытерла слезы и постаралась взять себя в руки:

— Извини, я в полном порядке.

Катька сделала знак официанту, чтобы он принес виски.

— А тебе разве не нужно петь? — растерялась я.

— Я имею право на пятиминутный отдых. Я не робот. Я же пою вживую. У меня уже голосовые связки болят.

— Ты поешь вживую? — опешила я.

— А ты как думала?

— Не проще ли записать голос?

— Проще, только хозяин никогда на это не пойдет. У нас же ресторан класса VIP. Если я буду петь под фонограмму, мне никто не будет платить те деньги, которые я получаю сейчас. Ладно. Так что у тебя с Глобусом?

— Ничего хорошего. Завтра в пять часов вечера я должна, как штык, быть у «Интуриста».

— Для чего?

— Глобусу нужно выставить какого-то коммерсанта на деньги, и он не нашел для этого кандидатуры лучше, чем я.

— А ты-то тут при чем?

— При условии, что я окажу Глобусу эту услугу, если, конечно, это вообще можно назвать услугой, ко мне не будет никаких претензий относительно смерти Мазая.

Катька задумалась.

— Наташка, а может, тебе лучше домой уехать? — чуть слышно произнесла она.

— Не могу, — покачала я головой.

— Почему?

— Во-первых, если я уеду, то все проблемы, которые сейчас лежат на моих плечах, лягут на твои. Во-вторых, завтра утром я встречаюсь со своим курортником. Я только его нашла и не могу так быстро потерять. Ты же хорошо знаешь, как важен для меня этот курортный роман.

— Да в Москве таких курортников пруд пруди! Это здесь он в единственном экземпляре, а там они на каждом шагу.

— В Москве их нет. Он один, понимаешь? Он вообще не из Москвы. Он живет в Германии.

— Но ведь ты сама мне недавно говорила, что курортный роман значит мимолетный. Ты же не рассчитываешь на дальнейшие отношения?

— Конечно, нет, разве я похожа на сумасшедшую?

— Похожа, потому что так рассуждать может только сумасшедшая.

Я снова стала нервничать:

— Катерина, если я уеду, то подставлю тебя. По-моему, вся твоя жизнь и так состояла из одних неприятностей, и я не хочу причинять тебе новые.

Катерина погладила мои волосы:

— Спасибо. Ты всегда была настоящей подругой. Скажи, а почему ты недавно плакала?

— Уж слишком хорошо ты поешь... Я говорю

всем, что упиваюсь одиночеством, но это неправда. Ты даже не представляешь, как сильно я от него страдаю.

— Тогда влюбись в какого-нибудь мужика.

— Не могу.

— Почему? — удивилась подруга.

— Потому что у меня все чувства атрофированы. Я слишком много любила, слишком много теряла. Больше я не хочу ни того, ни другого.

В этот момент заиграла веселая музыка, и моя подружка со словами: «Задолбали» — направилась к сцене.

Я поняла, что мне просто необходимо развеять свое паршивое настроение, и, весело помахав Катьке рукой, ринулась танцевать. Тоска моментально улетучилась. Как только закончилась музыка, я вернулась на свое место и встала как вкопанная. За моим столиком сидел курортник и смотрел на меня таким удивленным взглядом, что я с трудом перевела свое и без того учащенное дыхание и почувствовала дрожь в коленях.

— Привет, — еле слышно сказал он.

— Привет, — с трудом произнесла я и тоже села.

— А ты здорово танцуешь.

— Спасибо, я старалась, — сказала я и сделала глоток виски. — А как ты меня нашел?

— Я тебя не искал. Я даже и подумать не мог, что ты здесь. Ты с мужчиной или одна?

— У меня нет мужчины. У меня здесь подруга. Она сейчас поет. Тебе нравится, как она поет?

— Нравится. Ты же говорила, что у тебя сегодня важная деловая встреча...

— Она уже прошла.

— А я здесь случайно. Знаешь зачем?

— Зачем?

— Затем, что в Ялте нигде нет черной икры. Я подумал, может, она здесь есть. — Мы оба рассмеялись. — Я уже договорился насчет яхты на завтра. Лишь бы море было спокойное. Ты возьмешь с собой дочку?

— Возьму. Только к пяти часам мне нужно вернуться.

— У тебя опять важная деловая встреча?

— Да, и я не могу ее пропустить.

Олег наклонился ко мне совсем близко и прошептал:

— Послушай, давай отсюда сбежим?

— Куда?

— Возьмем вина, черной икры и поедем кататься на канатной дороге.

— А еще не поздно?

— Нет. Она работает всю ночь.

Вскоре у нашего столика появилась Катерина.

— Знакомься, — подмигнула я подруге, — это мой курортник!

— Меня зовут Олег, — улыбнулся курортник.

Катерина бесцеремонно оглядела его с ног до головы и хихикнула:

— Так это у вас плавки ярко-красного цвета?

— Да, — растерялся Олег. — А при чем тут плавки?

— При том, что Наташку всегда тянет на все красное. Она реагирует на красный цвет так же, как бык.

Курортник обнял меня за плечи и весело произнес:

— Теперь понятно, почему ты так настырно разгоняла отдыхающих около меня. Если бы я был в других плавках, ты бы и близко ко мне не подошла.

— Я знала, что ты наденешь именно красные плавки! — не на шутку развеселилась я и поцеловала своего курортника.

Олег отправился узнать, нельзя ли купить в ресторане черной икры, а я шепнула подруге:

— Катя, я исчезаю.

— И далеко ты намылилась?

— Мы едем кататься на канатной дороге. Кстати, как тебе мой курортный роман?

— Интересный мужик, я бы из-за такого тоже полпляжа подвинула. Ты ему сразу скажи, что ты женщина дорогая, что на тебе нечего экономить. Сама знаешь, какие нынче мужики пошли, каждый хочет на халяву в постель затащить. На канатной дороге покатаешься и приезжай домой. В первый же день с ним в постель не прыгай. Дай выдержку хотя бы дня два. Пусть тебя немного позавоевывает.

— Ой, да чего там завоевывать! Я сдалась сразу, как только его увидела.

— Ты что, с ним прямо сегодня спать собралась?

— Я не знаю, — потупила я глаза. Катька рассвирепела, схватила меня за плечи и хорошенько встряхнула:

— Наталья! Ну потерпи хоть до послезавтра. Чтобы через пару часов была дома! Я без тебя не усну. Где ж это видано отдаваться мужику в первый день знакомства!

— Можно подумать, ты отдаешься на второй, — язвительно сказала я. — У меня всего десять дней и девять ночей. Если я отниму две ночи, то останется семь. Это так мало...

— Хватит тебе и семи. Понравится — встретитесь еще. Он приедет к тебе в Москву или ты к нему в Бремен.

— Этого не будет, — решительно сказала я. — Курортные романы происходят на курорте, и у них не бывает продолжения.

— Дура ты упертая! Ты сумасшедшая, понимаешь?! Я жду тебя через два часа. Рано утром мать привезет детей, а ты обещала дочке на пляж пойти.

— Хорошо, — обиженно сказала я. — Никакой личной жизни.

Курортник вернулся с довольно увесистым пакетом:

— Это единственное место в Ялте, где есть черная икра.

— Смотрите, чтобы у вас животы не заболели, — язвительно заметила Катька и добавила: — Через два часа я жду тебя дома!

Несмотря на позднее время, канатная дорога действительно работала, и мы сели в подвесную кабину. Как только она стала двигаться вверх, я закрыла глаза и сжалась в комочек.

— Ты боишься высоты? — засмеялся курортник и коснулся моей руки. — Ты только посмотри, как красива ночная Ялта! Море, огни, сопки, яркая реклама! Такой красоты нет даже в Германии.

— Мы что, поднимемся еще выше? — испуганно спросила я.

— Мы поднимемся так высоко, как тебе даже и не снилось!

— А ты уверен, что мы не разобьемся?!

— Не переживай. Еще никто не разбился.

— Значит, мы будем первыми, — в сердцах сказала я, открыла глаза, но старалась не смотреть вниз. — Почему кабину не обнесли стеклом?

— Чтобы ты дышала морским воздухом.

— Но ведь здесь вообще нет никаких средств защиты! Если я встану, то могу упасть!

— А ты не вставай. Сиди спокойно, тогда кабина будет вполне устойчива.

Неожиданно мы перестали двигаться и остановились на немыслимой высоте. Я посмотрела на своего курортника глазами, полными ужаса, и, чуть не плача, спросила:

— Что это?

— Ничего страшного, — спокойно сказал он. — Наверно, что-то сломалось, такое иногда бывает. Не бойся, жизни это не угрожает.

Я постаралась расслабиться, взяла себя в руки и посмотрела вниз. Это было поистине завораживающее зрелище. Недалеко виднелось величественное и в то же время зловещее море. Его волны с грохотом ударялись о берег и превращались в белоснежную сверкающую пену. Множество разноцветных огней, доносящаяся откуда-то музыка создавали ощущение праздника.

— И как ты думаешь, — спросила я, — мы надолго сломались?

— А нам разве есть куда торопиться? У нас с собой и выпить есть, и черная икра на закуску. Ужин на такой сумасшедшей высоте — чудо!

— А что, если нас не отремонтируют? Ведь нас даже не смогут снять подъемным краном?!

— Отремонтируют, — засмеялся Олег и стал доставать из пакета свои покупки. Там оказалась бутылка моего любимого красного французского вина, два фужера и полукилограммовая банка черной икры.

— Зачем так много? — удивилась я.

— Ты же сама говорила, что я должен есть черную икру по несколько банок в день!

— Паюсная, моя любимая, — сказала я.

— А ты что, в ней разбираешься?

— Конечно. Были времена... — Я помолчала и резко закончила: — Были, да сплыли! Скажи, а ты хоть немного ее любишь?

— Кого?

— Икру, конечно, кого же еще!

— Можно, я не буду отвечать на этот вопрос? Я буду есть ее в таких количествах, чтобы ты думала, что я не могу без нее жить.

— И ты выдержишь это насилие над своим организмом?

— Выдержу, — серьезным голосом сказал Олег и поцеловал меня в губы.

Минут двадцать кабинки оставались неподвижными. Мы наслаждались моим любимым терпким красным вином, ели черную икру и любовались ночной Ялтой с высоты птичьего полета.

Наконец дорогу починили, и мы двинулись. Я громко засмеялась, встала, широко расставила руки и стала изображать парящую птицу.

— Сядь, ненормальная! Ты же можешь упасть! —

не на шутку перепугался курортник. — Совсем недавно была бледная, как стенка, убеждала меня в том, что боишься высоты.

— Уже ничего не боюсь! — звонко прокричала я и откинула голову назад.

— Сядь, бога ради, на свое место, лучше ешь свою черную икру!

— У меня от нее изжога! Ты знаешь, я никогда не думала, что от черной икры может быть изжога!

Олег встал, притянул меня к себе и поцеловал в шею.

— Тебе кто-нибудь говорил о том, что ты сумасшедшая? — нежно прошептал он мне на ухо.

— Я слышу это каждый день, — с восторгом ответила я.

Как только наша кабинка спустилась вниз, мы спрыгнули на землю, обнялись и пошли к морю. Пляж был пуст. Мы сбросили с себя одежду и вошли в воду, но она оказалась такой холодной, что мы очень скоро выбрались на берег и стали судорожно одеваться. Я грустно вздохнула — отпущенные мне два часа уже давно прошли.

— Мне пора, — еле слышно сказала я и прижалась к Олегу.

— А ты уверена, что хочешь домой?

— Нет, но сегодняшний вечер не зависит от моего желания.

Олег поймал такси и повез меня к Катьке.

Прощаясь, мы поцеловались и договорились встретиться рано утром на пляже.

— Привет! — радостно прокричала я, входя в дом.

— Привет. Ты на часы смотрела? — строго спросила Катька.

— Смотрела. Слушай! Что ты из себя маму родную строишь? Прямо тошно, ей-богу... Между прочим, из-за тебя я лишилась той знойной ночи, на которую сегодня была настроена.

— Ничего страшного. Пусть мужик хоть немного помучается. Пусть знает, что сразу ничего не бывает. На все нужно терпение.

— Это не он мучается, а я. Мне осталось всего восемь ночей. Меня в дрожь кидает при одной мысли о нем. Ты просто не видела его в плавках. Если бы ты видела, отдалась бы ему, не раздумывая ни минуты.

— Но ведь без штанов-то ты его не видела?

— Чтобы понять, что находится у мужика в штанах, необязательно видеть его без штанов. Я чувствую, что мне просто не справиться, — захихикала я.

— Нет такого мужика, с которым бы ты не смогла справиться. Скорее всего, они просто не справляются с тобой. Где вы были?

— Катались на канатной дороге, потом купались.

— Как романтично! — Катька мечтательно закатила глаза. — Господи, и как ты его нашла, у нас таких днем с огнем не сыщешь!

— Кто ищет, тот всегда найдет, — весело сказала я и прилегла на кровать. — Знаешь, это так здорово. Я сама себе придумала мужчину и встретила его в реальности...

Катька завалилась рядом. Уткнувшись мне в плечо, она глубоко вздохнула и грустно спросила:

— Скажи, а тебе когда-нибудь снится Япония?

— Очень часто, — еле слышно прошептала я. — Почти каждую ночь. Помнишь, в то страшное время нам обеим казалось, что если мы вернемся на родину, то обязательно будем счастливы. Мы вернулись, но не смогли обрести настоящего счастья...

— Я часто задумывалась над тем, почему так получилось, — приглушенным голосом сказала Катька. — Я смотрю на окружающих людей и понимаю, что мы с тобой совсем не такие. Люди женятся, выходят замуж, живут счастливо по тридцать лет, растят детей и как-то устраиваются в этой жизни. Почему у нас все совсем по-другому?

— Потому что они все друг другу лгут и обманывают сами себя, — засыпая, пробормотала я.

## ГЛАВА 8

Как только зазвонил будильник, я подскочила и стала трясти Катьку за плечи. Она с трудом открыла глаза и раздраженно спросила:

— Какого черта ты завела будильник на такое раннее время?!

— Потому что сегодня я уплываю со своим курортником на арендованной яхте. Если, конечно, море спокойное. Ведь уже в пять часов мне надо быть у «Интуриста».

— А ты успеешь вернуться?

— Конечно.

— В пять часов жду тебя в ресторане. Ты возьмешь дочку с собой?

— Непременно. Морская прогулка пойдет ей на пользу.

— Ну, если берешь ребенка, значит, на яхте не будет никакого интима. Это радует. Мужика нужно довести до такого состояния, чтобы он был готов загреметь в реанимацию.

— Мне показалось, что его можно увозить в

реанимацию с той самой минуты, как он меня увидел.

— Не сомневаюсь. Уверена, что на пляже ты не позабыла снять верх купальника.

— Само собой! Надо было сразу довести курортника до полной кондиции.

Катькина мама с детьми уже пришла, и я поспешила привести себя в полную боевую готовность. Катька осталась в постели и, наблюдая за моими манипуляциями, добродушно посмеивалась. Через полчаса мы с дочкой вышли из дома. Мой курортник уже ждал нас на пляже. Он подарил дочке мягкую игрушку, мы направились к причалу.

— Тут без инструктора яхту в аренду не дают, — сказал он огорченно.

— С инструктором намного спокойнее, — заметила я и взяла его под руку.

Как только наша красавица яхта отчалила от берега, я быстро разделась и осталась в тоненьком, едва прикрывающем интимные части тела купальнике. Олег достал из пакета несколько банок черной икры и демонстративно выставил их в ряд прямо перед моим носом. Я рассмеялась до слез:

— Зачем ты столько набрал? Я же тебе еще вчера сказала, что у меня от икры изжога!

— Совсем недавно ты уверяла, что не можешь без нее жить, — усмехнулся Олег.

Море волновалось, нашу яхту качало из стороны в сторону. Я прижималась к Олегу и украдкой посматривала на часы.

— Почему ты все время куда-то торопишься? — наконец не выдержал мой курортник.

— Я же говорила, у меня важная встреча, — пробормотала я, уткнувшись ему в шею.

— Может, расскажешь о своих неприятностях?

— А с чего ты взял, что у меня неприятности?

— Я это чувствую.

— Зачем тебе это? Я привыкла справляться со своими проблемами сама.

Олег явно обиделся, даже отвернулся и стал демонстративно разглядывать что-то на горизонте. Наша прогулка, к сожалению, скоро закончилась. Мы решили пройтись по набережной.

— Во сколько я смогу тебя увидеть опять? — Он притянул меня к себе и заглянул в глаза.

— Ты хочешь увидеть меня именно сегодня?

— Ну, понятное дело, не завтра.

— Тогда увидимся вечером в ресторане. Ты даже не представляешь, как я тебя хочу!

Мой придуманный курортник громко рассмеялся и поцеловал меня.

— Тогда в чем дело?

— Да все эта проклятая Катька. Давит на мою совесть и постоянно говорит о том, что нельзя отдаваться мужчине в первый же день знакомства. Нсcет какой-то бред по поводу того, что ты должен меня завоевать. Но ведь ты завоевал меня еще в ту минуту, когда я увидела тебя на пляже! Не понимаю, зачем отказывать себе в удовольствии, ведь его и так у нас совсем немного...

— Ты потрясающая женщина, — прошептал Олег.

Дома нас ждала Катькина мама. Я оставила с ней дочку и набрала Москву. К счастью, Димка был дома и, как мне показалось, в хорошем расположении духа. Услышав мой голос, он занервничал.

— Ну и как твой курортный роман? — спросил он с усмешкой.

— Полным ходом, — не задумываясь ответила я.

— Так он и есть мужчина твоей мечты?

— Он не мужчина моей мечты. Он придуманный мною курортник. Я его сама себе придумала, а потом встретила в реальности. У него великолепное тело и восхитительные ярко-красные плавки.

— Ты уже успела попробовать это тело на вкус?

— Еще не успела.

— Не переживай. Наверстаешь, — ревниво пробурчал Димка и бросил трубку.

— Придурок! — рассердилась я. — Мог бы и привыкнуть за столько лет...

Ровно в пять часов я стояла у «Интуриста» и ждала, когда подъедет черный джип с тонированными стеклами. К моему великому удивлению, на встречу приехал сам Глобус. Он сидел на заднем сиденье и махнул мне рукой. Сев рядом, я почувствовала, как напряглось мое тело, и нервно сжала кулаки.

— Неплохо выглядишь, — заметил Глобус. — Загорала?

— Каталась на яхте.

— Оно и понятно. Ты женщина красивая, чего даром время терять. Ты в Ялту не одна приехала, а с дочкой?

Я изменилась в лице и, немного заикаясь, спросила:

— А при чем тут моя дочка?

— Да это я так, к слову сказал. Чего испугалась? Любишь, наверно, свою дочку?

— Люблю, — совсем тихо пролепетала я.

— Ну если ты свою дочку любишь, то сделаешь все, что я тебе скажу. У подруги твоей детей двое... Дети — наше будущее, их беречь надо. Представляю, как разрывается материнское сердце, когда что-то случается с детьми.

Я побагровела от злости и прошипела:

— Хватить ходить вокруг да около. Говори, что я должна сделать. Если бы Мазай был жив, он бы тебе за такие слова язык вырвал!

Глобус вытаращил глаза:

— Ты выбирай выражения, а то ведь я и разозлиться могу! — Он протянул мне конверт. — Открой и посмотри фотографию.

Я достала небольшую фотографию и потеряла дар речи. С цветной глянцевой фотографии на меня смотрел мой курортник и улыбался своей восхитительной улыбкой, правда, на нем была далеко не пляжная одежда. Деловой костюм, галстук и ослепительно белая рубашка.

— Нравится? — Глобус ткнул пальцем в фотографию.

— Кто это? — я постаралась взять себя в руки и скрыть волнение.

— Комерс, которого мы хотим выставить на деньги.

— И зачем вам его выставлять?

— У нас с ним старые счеты. Этот комерс живет в Германии, имеет там собственное дело и совсем позабыл о людях, которые дали ему путевку в жизнь. Придется его немного проучить, и ты нам в этом поможешь. Что уставилась? Красивый мужик?

— Красивый, — с трудом выговорила я, не в силах оторваться от фотографии. — Он что, немец?

— Он местный. Эмигрировал в Германию и открыл там свое дело.

— А он женат? — спросила я.

— Да вроде живет с какой-то девкой.

Я почувствовала болезненный укол ревности. Проклятые курортники! Здесь они все холосты и свободны!

— Что я должна сделать? — спросила я, возвращая фотографию.

— Этого комерса зовут Олег. Сегодня в восемь он придет в ресторан. Для начала тебе нужно подсесть к нему за столик и познакомиться.

— А если он не придет?

— Придет. Один из его старых знакомых назначил ему встречу. По понятным причинам этот знакомый на встречу не явится, но появишься ты и приложишь все усилия, чтобы с ним познакомиться. Ты женщина красивая, я даже не сомневаюсь, что он на тебя клюнет.

— А дальше-то что?

Глобус положил руку мне на плечо, но я со злостью сбросила ее.

— А затем ты будешь послушной девочкой и поедешь к нему домой. У него дома ты можешь заниматься всем, что будет угодно твоей душе, но как только он заснет, тебе придется потрудиться.

— В смысле? — растерялась я.

— В том смысле, что тебе придется перерыть весь дом и найти папку с банковскими операциями его фирмы. Сейчас я дам тебе полный перечень бумаг, которые меня интересуют. Ты выкрадываешь эти бумаги и уносишь ноги. После этого звонишь мне на мобильный, и мы договариваемся о встрече. Номер мобильного телефона на этом конверте.

— А что будет, если я не найду эти бумаги? — затаив дыхание, спросила я.

— Ничего страшного, не считая того, что ты больше никогда не увидишь ни дочь, ни подругу.

Я почувствовала, что меня затрясло мелкой дрожью.

— Но ведь это самый настоящий шантаж, — почти плача сказала я.

— Это не шантаж. Запомни. Мои люди тщательно следят за каждым твоим шагом. То, что ты не доедешь до Москвы, я тебе гарантирую. Ты должна быть хорошей девочкой и подумать о близких тебе людях.

Наступила пауза. Я сидела словно каменная и не могла поверить в реальность происходящего.

— А почему это должна делать именно я? Почему это не делает кто-то другой? — отрешенно спросила я.

— Потому что ты мне очень понравилась, и я считаю, что никто не справится с этим лучше тебя.

— А если этот эмигрант заявит на меня в милицию? Наверно, эти документы для него очень важны...

— Если он бросится к ментам, ты пишешь заявление об изнасиловании и представляешь налицо все факты.

Я не удержалась и отвесила Глобусу звонкую пощечину. Глобус изменился в лице, достал пистолет и ударил меня рукояткой по голове. Я вскрикнула и чуть не потеряла сознание.

— Ты что, сучка, думала, что с тобой тут в детские игры играют?! Тут решаются серьезные дела. Я не Мазай и на баб не ведусь! Ты, овца проклятая, сделаешь все как положено. В противном случае не увидишь ни свою пацанку, ни свою подругу! Трахни этого комерса так, чтобы ему мало не показалось. Выкради бумаги, а утром иди к ментам и пиши заявление об изнасиловании. Комерс перепугается и будет тебя просить забрать заявление. Тут ты поставишь условие, что заберешь заявление только в том случае, если он откажется от своих документов и даст тебе двадцать пять тысяч долларов наличными. Двадцатку ты отдаешь мне, а пятерку оставишь себе за работу. Мы с тобой мирно расходимся и забываем о том, что знали друг друга в лицо.

— А если он не согласится на мои условия? — спросила я, медленно массируя голову.

— Он не дурак в тюрьме сидеть. Ему обратно в Германию надо. Главное, ты по уму все сделай. Что там при изнасиловании нужно? Покажешь разорванные колготки, сдашь анализы спермы... Видишь, я, как чувствовал, огрел тебя рукояткой пистолета. Покажешь ментам шишку, скажешь, что комерс бил тебя по голове. Короче говоря, ты не маленькая девочка. Мозги у тебя варят, нервы будь здоров, как у хорошего мужика. Только не забывай, что каждый твой шаг контролируется моими людьми. Если что-то сделаешь не так, навредишь сама себе. Нам твою пацанку прямо сейчас забрать или оставить пока?

Я всхлипнула.

— Если не будешь делать глупостей, мы ее не тронем. Да и твоя подруга пусть пока в ресторане поет. Она хорошо поет. Людям нравится. Но двое маленьких детей... Представляешь, каково будет детям, если они без матери останутся? Насколько я знаю, отца у них нет. Будут круглыми сиротами. Таких только в детский дом.

— Хватит! — с ненавистью крикнула я. — Я все сделаю, только замолчи, ради бога!

— Я и не сомневаюсь, что сделаешь. Бери конверт и иди приводить себя в порядок. В восемь часов комерс должен быть у тебя на крючке.

Я с трудом выбралась из машины и, смахнув слезы, спросила:

— А когда все закончится?..

— Не понял? — нахмурил брови Глобус.

— Я спрашиваю, что тогда?

— Ничего. Ты поотдыхаешь и поедешь в Москву. Комерс уедет по своим делам. Мы с тобой друг друга не видели и никогда не знали.

Прижав конверт со списком к груди, я зашла в пустой ресторан. Обслуживающий персонал готовился к приему первых посетителей. У стойки бара сидела Катька. Она уставилась на меня, словно на привидение.

— Наташка, ты чо?

— Ни чо, — передразнила я подругу и облокотилась о стойку бара.

— Ну говори, что случилось-то?

Я отрешенно взглянула на подругу и спросила каким-то чужим голосом:

— Где моя дочь?

— Как где? — пожала плечами Катька. — Ее моя мама к себе забрала. Ты же мою маму знаешь, она детей очень любит.

— А где твои дети?

— Ты что? Там же, где и твоя дочь.

— Тогда позвони и спроси, все ли нормально.

Катька испуганно потянулась к телефону. Позвонив матери, она с облегчением вздохнула:

— Все нормально. Дети играют у матери.

— Надо было сказать, чтобы она смотрела за ними получше.

— А она никогда не смотрела за детьми плохо. Можешь ты сказать, что произошло?

— Пошли в гримерную. Только прихвати что-нибудь выпить.

Зайдя в гримерную, я села прямо на пол, обхватила голову руками и дала волю своим чувствам. Перепуганная Катька уселась рядом и попыталась меня успокоить. Крепко обняв подругу, я, всхлипывая, рассказала о своем разговоре с Глобусом. Катька, уставясь в одну точку, судорожно курила, стряхивая пепел прямо на пол.

— Вот это мы вляпались, — наконец проговорила она. — Все из-за этого гребаного Мазая, будь он неладен. Хоть про покойников плохо не говорят, но я про него ничего хорошего сказать не могу.

Я взяла принесенную Катькой бутылку шампанского и, обхватив ее двумя руками, сделала несколько глотков. Потом передала бутылку Катьке. Она точь-в-точь повторила мои действия и поставила бутылку на пол.

— Вот тебе и курортный роман, — задумчиво сказала я. — Курортника жалко. Как я ему потом в глаза смотреть буду? Даже страшно подумать.

— И какого черта он в Ялту пришпарил? — Катька выругалась. — Сидел бы себе в своей Германии и носа не показывал. Такие, как он, должны на Кипре или на Канарах отдыхать!

— Он тут родился и вырос. Тут живут его родители.

Катька посмотрела на часы и тяжело вздохнула:

— Твой курортник придет через час.

Я быстро поднялась с пола, подошла к зеркалу и грустно посмотрела на свое отражение.

— Нужно привести себя в порядок. Не могу же я появиться перед ним в таком виде...

— Вся косметика на трюмо, — сказала Катька.

Я начала краситься, постоянно поглядывая на Катьку. Она по-прежнему сидела на полу и смотрела на противоположную стену отрешенным взглядом. Неожиданно она подняла голову и медленно затушила сигарету:

— Наташка, миленькая, ты только не подведи, — запричитала она точно так же, как бабы голосят по усопшим. — Я, конечно, понимаю, что этот курортник тебе очень дорог, но ведь дети дороже. Ему-то что, он в свою Германию вернется и деньги по новой наживет, а нам без детей жизни больше не будет! Выкради ты у него эти чертовы бумаги, будь они неладны!

Я подняла Катьку с пола:

— Хватит голосить. И так тошно! Я все прекрасно понимаю и сделаю все как надо. Успокойся, ради бога.

Катерина положила голову мне на плечо. Я чмокнула ее в макушку и подвела к зеркалу.

— Приведи себя в порядок. Тебе скоро петь.

— Если бы ты знала, как мне все это надоело, — с горечью сказала она. — Этот ресторан, эта сцена, эти пьяные рожи. Бросить бы все к чертовой матери и уехать куда глаза глядят, да, видно, судьба у меня такая, всю жизнь с микрофоном бегать.

Катерина пристроилась рядом со мной у зеркала. У нее заметно дрожали руки, и она несколько раз уронила подводку для глаз на пол.

— Успокойся, а то как только я на тебя посмотрю, так меня сразу колотить начинает, — сказала я раздраженно.

В половине восьмого Катерина пошла в зал развлекать публику, а я осталась в гримерной. Мне представился курортник, лежащий на пляже в своих огненно-красных плавках. Было жутко оттого, что мой курортный роман повернулся в такую непредсказуемую сторону. Больше всего на свете мне хотелось взять дочь и уехать в Москву, но я прекрасно понимала, что не могу этого сделать. Ровно в восемь я вошла в зал. За центральным столиком сидел Олег. Увидев меня, он удивился и быстро встал.

— Наташа, я очень рад, что ты пришла, — сказал он. — У меня назначена встреча с одним знакомым, но это всего на несколько минут. Садись, я так по тебе соскучился!

Я посмотрела на сцену, встретилась взглядом с Катериной и тяжело вздохнула.

— Ты должен с кем-то встретиться? — переспросила я.

Олег посмотрел на часы и пожал плечами:

— Что-то этот товарищ опаздывает. Если он не придет, будет даже лучше, нам никто не будет мешать.

Я-то знала, товарищ Олега не придет, и поэтому чувствовала себя ужасно скверно. Я никак не могла отделаться от дурных мыслей, которые прочно засели в моей голове.

— Ты чем-то расстроена? — спросил курортник и взял меня за руку. — У тебя такое странное выражение лица. Что-то случилось?

— Нет. Просто я сегодня неважно себя чувствую, — соврала я и опустила глаза, боясь встретиться с ним взглядом.

Олег пригласил меня танцевать, и мы закружились в медленном танце. Олег нежно прижимал меня к себе и ласково нашептывал что-то.

— Ты приедешь ко мне в Германию? — спросил он. Глаза его были полны надежды.

— Приеду! — Я звонко рассмеялась, не устояв под натиском его поцелуев. — Ты будешь меня встречать вместе со своей женой? — продолжала веселиться я и обвила его шею руками.

— Я разведен, — растерянно ответил Олег и резко остановился. — Послушай, ты когда-нибудь бываешь серьезной?

Я опустила глаза, постаралась сдержать слезы и еле слышно произнесла:

— Извини, это просто нервы.

Мы вернулись за стол. Олег сделал заказ и стал рассказывать:

— Пять лет назад я развелся с женой и живу один вместе с дочерью. Ей десять лет, и она почти не говорит по-русски — ходит в немецкую школу и великолепно знает немецкий. У нас всегда очень много гостей. Мы с ней объездили почти всю Европу, и нам здорово вместе.

— А где же мать? — спросила я.

— Она вышла замуж и счастлива в другом браке.

— Она оставила тебе дочь?

— Я просто ей ее не отдал.

— Как это?

— Она не очень настаивала.

— Господи, да разве такое бывает?

— Бывает, и я не вижу в этом ничего удивительного. За все это время она позвонила ровно два раза.

— И даже ни разу не приехала?

— Ни разу.

— А с кем ты сейчас оставил свою дочь?

— С няней. Скажи, ты приедешь ко мне в Бремен? — чуть слышно спросил Олег. Я тяжело вздохнула:

— Мы еще не разъехались.

— А я и не хочу, чтобы мы разъезжались. Переезжай ко мне навсегда.

— Ты хочешь на мне жениться? — опешила я.

— Конечно, а ты в этом сомневалась?

Я удивленно посмотрела на своего курортника:

— Послушай, тебе кто-нибудь говорил, что ты сумасшедший?

— Я слышу это почти каждый день, — улыбнулся он, повторив мои слова.

В этот момент Катерина закончила петь и подошла к стойке бара.

— Я на минутку, — сказала я и направилась к подруге.

— Ты в порядке?

Катька утвердительно кивнула:

— Я-то в порядке, а вот как ты?

— Держусь из последних сил. Курортника жалко.

— Ты лучше наших детей пожалей. От твоего курортника не убудет.

— Просто на душе гадко, прямо кошки скребут. Он только что сделал мне предложение.

— И ты развесила уши и поверила, как семнадцатилетняя девчонка?

— Ничего я не поверила, — буркнула я. — Тебе-то что? Ты в своем ресторане отпоешь и пойдешь домой, а мне еще эти гребаные документы нужно выкрасть и заявление об изнасиловании писать. Я как об этом подумаю, так у меня душа наизнанку выворачивается.

— Неужели ты думаешь, что я приду домой и спать завалюсь? — обиделась Катька. — Я себе места найти не смогу.

Я ничего не ответила, прошла через весь зал и вышла на улицу. Я чувствовала себя ужасно разбитой, подавленной и глубоко несчастной. Встав у выхода, я растерянно смотрела на ночное ялтинское небо.

## ГЛАВА 9

Чтобы немного оттянуть встречу с Олегом, я завернула за угол и остановилась в начале роскошной аллеи. Не понимая, что происходит, я вдруг почувствовала приближение опасности. Сердце забилось так, что, казалось, вот-вот выскочит из груди. Неожиданно раздался приглушенный щелчок, и я непроизвольно бросилась на землю. Звук, похожий на выстрел, повторился, я закрыла голову руками и громко закричала. Я поняла, что в меня стреляют. Снова раздался тот же самый звук, и я почувствовала сумасшедшую боль в правом предплечье. Послышались приглушенные голоса, а когда они приблизились, я узнала голос Олега:

— Наташка, что случилось? Подними голову!

Я попыталась поднять голову, но почувствовала такую чудовищную боль, что снова закричала. Появилась Катька. Она положила мою голову себе на колени и запричитала:

— Наташенька, родненькая, ты только не

умирай! Слышишь, не умирай! Ты сильная! Ты же просто умереть какая сильная!

Олег снял ремень и перетянул мое предплечье, чтобы остановить кровотечение.

— Я уже вызвал «Скорую», — глухо произнес он и посмотрел в сторону кустов. — Стреляли именно оттуда. Я обежал аллею, но там уже никого нет.

— Господи, ну где же твоя «Скорая»? Она же может умереть! — голосила Катерина.

— Я вызвал! Сейчас позвоню еще раз! — засуетился Олег и принялся судорожно нажимать на кнопки мобильника.

Я облизнула высохшие губы.

— Кто в меня стрелял? — спросила я и попыталась подняться.

— Лежи, сумасшедшая! — прокричала Катька и притянула меня к себе.

— Ты его видела?

— Кого?

— Ну того, кто стрелял?

— Нет. Я даже не сразу поняла, что это выстрелы.

Подъехала «Скорая помощь», и чьи-то сильные руки положили меня на носилки. Я плохо соображала и не помню, что было дальше, но как только открыла глаза, то увидела рядом с собой Катьку и Олега. Они стояли рядом с моей кроватью и смотрели на меня перепуганными глазами:

— Очухалась.

Катька чмокнула меня в щеку и провела по моему лбу прохладной ладонью.

— Наташа, слава богу, все обошлось, — послышался голос Олега. — Пуля прошла насквозь и не задела ничего жизненно важного.

Я приподнялась и почувствовала, что у меня немного кружится голова. Собрав все силы, я села.

— Завтра утром придут из милиции, — пробурчала Катька.

— Зачем?

— Затем, что в больнице регистрируют все огнестрельные ранения и сообщают о них в милицию. Ты разве не знала?

— Откуда я могу знать? В меня не каждый день стреляют. Надо сматываться. У меня нет никакого желания объясняться с милицией.

— А ты уверена, что сможешь?

— Мне же не ногу прострелили, а всего лишь руку.

Опершись на Олега и Катьку, я слезла с кровати и сделала несколько шагов.

— Я в порядке. Только слабость, но это пройдет. Повязка немного тугая...

— Так положено.

Катька помогла мне одеться, и уже через несколько минут мы тихонько вышли из больницы и поймали такси.

— Куда едем? — растерянно спросила Катерина.

— Сейчас мы отвезем тебя домой, а затем я поеду к Олегу, — сказала я.

Олег улыбнулся, прижал меня к себе и поцеловал. Когда мы подъехали к Катькиному дому, я попросила Олега остаться в машине и прошла в дом. Набрав номер Глобуса, я стала ждать. Катька не сводила с меня испуганных глаз. Наконец в трубке послышался голос Глобуса.

— Глобус, это Наташа, — заговорила я с такой злобой, на какую только была способна. — Если ты решил меня убить, то какого черта нужно было устраивать весь этот спектакль?! Я не ожидала от тебя такой подлянки! Стрелять в беззащитную женщину из-за темных кустов!

— Что ты несешь? Ты уже давно должна быть у комерса! В чем дело?

— Ты хочешь сказать, что в меня стрелял не ты?

— Я уже давно не в том возрасте, чтобы стрелять.

— Тогда не ты, а кто-то из твоих людей.

— Если бы мне захотелось тебя убить, я сделал бы это у бассейна.

— Тогда кто же в меня стрелял?

— Так в тебя еще и стреляли?

— Представь себе. Мне прострелили руку. Я только что сбежала из больницы.

— Ну, подруга, это уже твои проблемы. Эти выстрелы не имеют ко мне никакого отношения. Вспоминай, что ты умудрилась натворить еще. В конце концов ты крутилась с Мазаем, возможно, кому-то стала неугодной, потому что много знала о его делах.

— Да при чем тут Мазай! — крикнула я.

— Тогда не знаю, но уж я здесь ни при чем, поверь. Какого черта мне тебя убивать, если с твоей помощью я должен обанкротить комерса. Если уж я и надумаю кого убить, так это или твою дочь, или подругу. Твоя жизнь не представляет для меня никакой ценности.

— Заткнись!!! — закричала я что было сил и почувствовала, как подкашиваются ноги.

— Не смей никогда разговаривать со мной таким тоном, — жестко сказал Глобус. — Если ты влезла в какое-то дерьмо, которое меня совершенно не касается, вылазь из него сама. Залечивай свою простреленную руку и прыгай в постель к комерсу. В твоем распоряжении ровно сутки. Если за эти сутки ты не выкрадешь бумаги и не напишешь заявление об изнасиловании, жди беды. И не вздумай никуда убегать. Я найду тебя и твою подругу вместе со всем вашим приплодом, где бы вы ни были. И еще. Постарайся сделать так, чтобы в тебя больше никто не стрелял.

В трубке раздались короткие гудки. Я открыла

рот, посмотрела на Катьку ничего не понимающим взглядом и тихо произнесла:

— По-моему, это не Глобус организовал покушение.

— А кто?

— Я и сама не знаю.

— Прямо мистика какая-то! Ну сама подумай, кому ты еще нужна? Ведь ты приехала всего два дня назад... Он врет! Нужно срочно брать детей и уезжать. Дальше будет еще хуже.

— Куда уезжать-то?

— Не знаю, куда угодно, только подальше от этих мест.

— Может, эти выстрелы случайные? Ведь вышла я из ресторана совсем случайно. У меня просто закружилась голова, и я решила подышать воздухом. Никто не знал, что я пойду к этой аллее. Может, в кустах был какой-нибудь наркоман или маньяк. Если бы это был профессиональный киллер, он бы обязательно попал с первого раза. — Я посмотрела на часы. — Там курортник в такси остался, у него, наверно, счетчик на полную катушку тикает.

— Нашла, за что переживать. Расплатится. Пусть у него этот счетчик хоть всю ночь тикает, пропади он пропадом.

— Глобус дал мне ровно сутки. Если через сутки бумаги не будут у него, случится беда. Попроси мать куда-нибудь увезти детей. Пусть они пока поживут у каких-нибудь родственников.

Катька схватилась за голову, ее трясло как в лихорадке.

— Наташка, неужели все так серьезно?! Неужели все так плохо?!

— Сегодня ночью я выкраду эти злосчастные бумаги и отдам их Глобусу, — попыталась я успокоить подругу. — Я это сделаю, слышишь?! Ради тебя! Ради наших детей! Я перерою носом весь дом, и я их найду!

— А если их там нет? — спросила Катька.

— Я их найду! — отрезала я. — Я же нашла этого курортника, значит, найду и его бумаги! Жалко, хороший он мужик...

— Да хрен с ним! — рассердилась Катька. — Они все поначалу хорошие, а как только с ними жить начинаешь, так хоть волком вой! Все они сволочи! Ты еще себе таких целую кучу найдешь! Они же перед тобой штабелями падают. Да на что он тебе сдался?! Ни рожи, ни кожи! Только что плавки у него ярко-красные, так и хрен с этими плавками! Они же все равно износятся.

— Хватит! — Я стукнула по столу, но, увидев ее растерянность, сбавила тон: — Катя, хватит. Я сделаю все, как положено, и мы все будем в безопасности. Я достану эти бумаги, чего бы мне это ни стоило. Мне пора. Береги детей. Скоро увидимся.

Катька смотрела на меня потухшими, безжизненными глазами.

Сев в такси, я положила голову Олегу на плечо и закрыла глаза.

— Сколько ночей у нас с тобой осталось? — с нежностью спросил он и прижал меня к себе.

— Всего одна, — тихо прошептала я. Олег изменился в лице и стал гладить мои волосы:

— Глупенькая, ну что ты несешь? Ты еще не отошла после наркоза. Даже если закончится наш курортный роман, который ты сама себе придумала, я найду тебя, где бы ты ни была. Я хочу, чтобы ты стала моей женой.

— У курортных романов не бывает продолжения.

— Бывает, — улыбнулся Олег. Мы подъехали к каменному одноэтажному дому.

— Проходи и чувствуй себя как дома, — сказал Олег, открывая дверь. — В этом доме два входа: с той стороны живут мои родители, а здесь останавливаюсь я, когда приезжаю из Германии.

Оглядев довольно просторную комнату, я уселась на медвежьей шкуре, которая была расстелена посередине. Олег принес бутылку шампанского и сел рядом.

— За то, что ты осталась жива! — сказал он. Я кивнула, сделала несколько глотков и почувствовала себя значительно лучше. Неожиданно для себя самой я вдруг спросила:

— Олег, а у тебя враги есть?

— Враги?!

— Да, я, по-моему, ясно выразилась.

— Нет. У меня есть только друзья, — рассмеялся Олег и подлил мне шампанского. — А у тебя они есть?

— Есть, — ответила я и подумала про Глобуса.

Олег взял меня за руку:

— Наташа, я хочу знать, кто в тебя стрелял.

— Я бы тоже хотела узнать, — задумчиво сказала я и, поставив пустой бокал на пол, растянулась на медвежьей шкуре. Олег лег рядом и уткнулся мне в шею.

— Рука болит? — спросил он.

— Немного, — сказала я.

— Я чувствую, что тебя что-то беспокоит, но ты упорно не хочешь мне ничего рассказывать. Ты не доверяешь мне? Выстрелы ведь могут повториться, и никто не даст гарантии, что ты останешься жива. Они могут настигнуть тебя на пляже, дома, и меня может не оказаться рядом.

Я закрыла его рот ладонью и жадно поцеловала. Все дальнейшие события развивались так динамично и так страстно, что я совершенно потеряла голову и подчинилась необузданному желанию. Позабыв о простреленной руке и об угрожающей мне опасности, я растворилась в сказочных поцелуях и ласках...

Когда все закончилось, я перевернулась на живот и подумала: как же это здорово — полностью раствориться в мужчине и не думать ни о чем другом.

— Как твоя рука? — прошептал Олег и стал нежно перебирать мои волосы.

— Я про нее совсем забыла, — засмеялась я и вновь накинулась на своего партнера, не дав ему ни минуты отдыха.

— Ты сумасшедшая. — Олег попытался унять мою неугомонную страсть. Чуть позже мы перебрались на кровать и уснули в объятиях друг друга. Правда, я не спала, я просто притворилась спящей. Пощекотав его ухо и не получив никакой ответной реакции, я поняла, что он крепко спит, и встала с кровати. Накинув платье, я стала лихорадочно осматривать комнату. Взгляд мой остановился на большом дубовом шкафу. Я на цыпочках подошла к шкафу и тихонько открыла двери — в нем не было ничего, кроме мужской одежды. Обойдя комнату, я перешла в гостиную. Мне показалось, что поиски заняли целую вечность. Проверив все тумбочки, столы и полки, я смахнула пот со лба и с ужасом поняла, что вряд ли мне удастся найти требуемые бумаги. На кухне я перевернула вверх дном всю посуду, заглянула в банки с крупами, но и это не принесло никакого результата. Я села на корточки перед кухонным столом и постаралась унять нарастающую дрожь в коленях. Заметив еще одну кастрюлю, я приподняла крышку и, к своему удивлению, увидела пистолет. В том, что он был боевой, не было никакого сомнения. Погладив его блестящее, пахнущее маслом дуло, я сняла пистолет с предохранителя и посмотрела на часы. Еще немного, и начнет светать. Мое время ограничено, а надежда отыскать бумаги испарилась окончательно. Я быстро вернулась в спальню и ткнула пистолет в голову курортника. Олег открыл глаза и растерянно посмотрел на меня.

— Доброе утро, — дрожащим голосом сказала я и, чуть отодвинувшись, навела пистолет на курортника.

Олег слегка приподнялся, потер глаза и откровенно зевнул.

— Где ты его взяла?

— На кухне, в большой кастрюле.

— Зачем?

— Затем, что я буду сейчас с тобой разговаривать только таким образом.

Олег протянул ко мне руки, но я отошла еще дальше:

— Не вздумай двигаться, он снят с предохранителя. Малейшее движение, и я прострелю твою голову.

— К чему ты устроила весь этот маскарад? Какого черта ты рыскала в доме? Это боевой пистолет, а не какая-нибудь игрушка. Положи его на место. Ты всегда будишь мужчин подобным образом?

— Нет. В первый раз. Это не розыгрыш. Это серьезно. Мне нужны бумаги, и ты сейчас же их мне отдашь.

— Какие бумаги?

Я протянула курортнику конверт:

— Тут полный перечень. Не будем тянуть время. Ты даешь мне необходимые бумаги, и мы забываем, что когда-то видели друг друга.

Олег тяжело вздохнул:

— Мы не только видели друг друга. Мы провели восхитительную ночь, и не вздумай говорить, что тебе не понравилось.

— Я не хочу вспоминать про эту ночь.

— Ты в этом уверена?

— Вполне.

— А как же наш курортный роман?

— Он закончился.

— Но он ведь едва успел начаться... — Олег усмехнулся, посмотрел на пистолет, а затем достал из конверта свою фотографию и листок со списком бумаг, необходимых Глобусу. Повертев фотографию в руках, он как-то странно пожал плечами и тихо спросил:

— Откуда это у тебя?

— Я не намерена отвечать на твои вопросы, — сказала я.

— Тут я совсем не похож на курортника. Никаких красных плавок. Дорогой, стильный костюм... Я стою у своего офиса. Фотография сделана в Германии около года назад. Кто тебе ее дал?

— Не задавай лишних вопросов, — рассердилась я. — Лучше разверни листок и внимательно прочитай список бумаг, которые ты должен мне отдать.

Олег развернул листок и стал читать. Его брови сошлись на переносице, щека задергалась, будто начался нервный тик. Он сжал кулаки и сквозь зубы спросил:

— Кто ты?

— Как это кто? — не поняла я.

— Я спрашиваю, кто ты?

— Вот тебе на! Мы провели с тобой восхитительную ночь, а теперь ты спрашиваешь, кто я такая. Мне нужны бумаги!

— Ты хоть понимаешь, что это за бумаги? Я не могу их тебе отдать. Я стану банкротом. Откуда у тебя этот список? На кого ты работаешь?

— Я ни на кого не работаю. Я же просила не задавать лишних вопросов!

— Но почему ты не хочешь подумать обо мне?

— Потому что сейчас я должна думать о себе. Олег, я стреляю, — сказала я, словно во сне. Курортник изменился в лице:

— Подожди. Не стреляй. Я должен вспомнить, где они лежат. — Он встал с постели и сделал шаг в мою сторону. Я отбежала к противоположной стене и заголосила:

— Не вздумай подходить, придурок! Я же тебя убью! Стой на месте, кому говорю!

Олег остановился и заметно побледнел. В этот момент послышался шум подъезжающей машины и в дверь громко постучали.

— Не смей подходить к двери, — сказала я и с силой прикусила губу, чтобы не расплакаться.

— Но ведь стучат, я должен посмотреть, кто приехал.

— Постучат и уйдут. Пусть думают, что тебя нет дома. Ты кого-то ждешь?

— Нет.

— Тогда в чем дело?

Не успела я договорить, как дверь распахнулась, и в дом влетели двое вооруженных мужчин в масках. В ту же секунду Олег оказался рядом со мной, выхватил у меня пистолет и наставил его на ворвавшихся. Они остановились у противоположной стены.

— Ребята, в чем дело? — заговорил Олег, стараясь не выдать своего волнения. — Я никого не приглашал. Вы, наверное, перепутали адрес?

— Мы ничего не перепутали, — ответил тот, что был пошире в плечах. — Нас послал Шульц за причитающимися ему бабками. Давай бабки, которые должен, и мы тихо и мирно расходимся.

— Я же сказал Шульцу, что он получит свои деньги в следующем месяце.

— Шульц не хочет ждать. Он хочет получить их прямо сейчас.

— Но сейчас у меня нет.

— Это не ответ. Давай бабки, или мы заберем твою телку. Как только найдешь деньги, приедешь к Шульцу за своей девкой. Правда, в каком состоянии ты ее получишь, остается только догадываться. За сохранность никто ответственности не несет.

Я прижалась к Олегу и испуганно прошептала:

— Не отдавай меня, пожалуйста. Я никуда не поеду. Ведь я же тебя люблю!

— Несколько минут назад я бы этого не сказал, — усмехнулся Олег.

— И ты поверил? Женщине вообще нельзя верить. Я просто шутила.

— И часто ты так шутишь?

— Нет. В первый раз.

— Хорош выяснять отношения, — вмешался парень с широкими плечами. — За ночь не наговорились! Или давай бабки, или пусть твоя девка едет с нами! Иначе мы кого-нибудь пристрелим.

Я вцепилась в Олега и стала говорить словно в бреду:

— Олег, миленький, не отдавай меня. Ведь ты же помнишь, что было сегодня ночью? Мы ведь так друг друга любили. У нас впереди целое море ночей. Ну не стой ты как истукан. Застрели этих гадов!

— Застрелил бы, если бы в патроннике был хоть один патрон, — с отчаянием сказал Олег и бросил пистолет на пол.

— Он что, не заряжен?!

— Нет. Он не заряжен.

Я с ужасом посмотрела на Олега.

— Тогда зачем ты делал вид, что боишься?

— Хотел тебе подыграть и посмотреть, что будет дальше. Даже если бы пистолет был заряжен, ты бы все равно не могла выстрелить.

— Конечно бы, не могла. Я никогда в жизни не стреляла. Отдай им эти деньги, и я все тебе расскажу. У меня просто не было выхода. Меня заставили, я не хотела причинять тебе неприятности. Просто мне не оставили выбора. Я же влюбилась в тебя, неужели ты не видишь?

Парням надоело слушать наши пререкания, один из них подошел к Олегу и ударил его пистолетом по голове. Олег скорчился от боли и попытался перехватить пистолет. Попытка оказалась безуспешной. Второй повалил Олега на пол и стал бить ногами. Я буквально вжалась в стену. Парни оставили Олега, схватили меня под руки и потащили к выходу.

— Привезешь деньги, получишь девку. Смотри не тяни. Девка красивая, никто не будет ее беречь, — сказал один из них.

Я оглянулась. Курортник, скорчившись, лежал на полу, из носа текла кровь.

## ГЛАВА 10

Как только мы вышли из дома, мне приложили к лицу платок, пропитанный какой-то вонючей жидкостью, и я потеряла сознание. Я очнулась от дикой головной боли и страшного, нарастающего гула в ушах. Я лежала на полу в маленькой комнате без окон. Было совсем темно. Я села, опершись о стену. Перед глазами возникла дочка в огромной разноцветной панаме, Катерина с микрофоном в руках и Олег с фотографией в руках.

Вдруг дверь распахнулась, в лицо мне ударил яркий свет. Я сморщилась и потерла глаза. В дверях стоял все тот же мордоворот с широченными плечами. Он был без маски, но я узнала его. Увидав огромный шрам на его лице, я почувствовала озноб.

— Ты что уставилась, словно я привидение? От эфира не отошла?

— Голова болит жутко, — пожаловалась я.

Мордоворот громко скомандовал:

— Выходи, хорош сидеть. Сварганъ чего-нибудь. Меня тут оставили за тобой смотреть, а я есть хочу — сил нет. Пошеруди на кухне. В морозилке курица есть. Картошка — в ведре.

Я вышла из своей так называемой камеры и направилась за мордоворотом на кухню. Постепенно мои глаза привыкли к свету, а головная боль заметно уменьшилась. На кухне парень сел на стул, окинул меня оценивающим взглядом.

— Все в твоем распоряжении, — развел он руками. — Я уже двое суток на суете. Вообще ничего не ел.

Я молча достала курицу, положила ее под струю холодной воды, чтобы она поскорее размородилась, и украдкой посмотрела в окно. Ничего, кроме высокого каменного забора, не было видно. Я принялась чистить картошку. Мордоворот не сводил с меня глаз и что-то напевал себе под нос.

— Мы что, одни тут? — спросила я безразличным голосом.

— Одни, — пожал он плечами.

— А где твой товарищ?

— Какой еще товарищ?

— Ну тот, который ворвался к Олегу вместе с тобой.

— Колян, что ли? Он по другой суете уехал.

— А меня тут долго будут держать? — продолжала я расспрашивать своего охранника.

— Поживем, увидим. Вот Олег вернет деньги, так тебя, наверно, и отпустят.

— А если он не вернет?

— Тогда будешь здесь жить, — противно захихикал мордоворот.

— Это не смешно, — сказала я серьезным голосом и бросила очищенную картошку в раковину. — У меня ребенок у подруги остался.

— У тебя еще и ребенок есть?

— Да, а что здесь такого?

— А с Олегом у тебя что?

— Ничего, — растерялась я. — Обыкновенный курортный роман.

— Получается, у вас все несерьезно?

— А разве курортные романы бывают серьезными?

— Это значит, ты с ним ночью перепихнулась, и все? Тогда какого черта мы тебя сюда привезли? Если ему на тебя наплевать, он деньги Шульцу не отдаст, а свалит в свою Германию, и все.

— Так вот и я про то же. Отвези меня обратно, я не самый лучший способ для выколачивания денег.

— А что ж ты ему в любви клялась?

— Когда это?

— Когда мы хотели тебя забрать. Говорила, что по уши влюбилась, трещала без остановки.

— Посмотрела бы я, что бы ты на моем месте говорил, если б тебя хотели куда-нибудь увезти.

— Все с тобой понятно... Что ж, придется подождать. Посмотрим, какой у тебя курортный роман.

Я бросила нож в раковину, вытерла руки и в сердцах произнесла:

— Послушай, это не тот вариант! Ты со мной только время теряешь. Никто за меня никаких денег не даст. Это я тебе гарантирую. У меня и так проблем по самое горло, так ты еще мне новые добавляешь.

— Хватит трещать! — рассвирепел мордоворот. — Ты лучше пожрать поскорее сготовь. Я голоден!

— Я сюда поваром не нанималась, — проворчала я и стала разделывать курицу.

— А тебя никто и не нанимал. Делай, что говорю, а то у меня терпение лопнет.

Я скорчила кислую физиономию и, положив курицу с картошкой на противень, сунула его в духовку.

— У тебя телефон есть? — устало спросила я.

— Зачем тебе телефон? — выпучил глаза мордоворот.

— Я хотела узнать насчет дочки. Душа болит. В голову мысли дурные лезут.

— Не забивай себе голову. Телефона ты не

увидишь как своих ушей. Это я тебе обещаю. А что у тебя рука перевязана?

— Упала и ударилась, — не моргнув глазом, соврала я.

Мы молча ждали, когда обед будет готов. Достав противень, я поставила его прямо на стол под нос мордовороту. Он облизнулся и, ни минуты не раздумывая, накинулся на еду. Воспользовавшись этим, я отошла к окну и стала рассматривать высокий каменный забор. Этот придурок явно не страдал отсутствием аппетита. Не прошло и нескольких минут, как на противне не осталось даже кусочка зажаренного лука. Мой сторож съел все подчистую и, по всей вероятности, так и не смог наесться. Неожиданно он встал и подошел ко мне вплотную. Я попыталась его оттолкнуть, но это оказалось мне не под силу.

— А может, ты со мной тоже курортный роман покрутишь? — гнусным голосом сказал он и тяжело задышал. — Я это... курортные романы тоже люблю. Особенно когда таких курортниц вижу...

— Пошел вон! — звонко отчеканила я и ткнула его кулаком в живот.

— Что ты, в натуре, руки распускаешь?! Может, тебе западло со мной курортный роман крутить?! Или я, по-твоему, на курортника не похож?! Смотри, а то я щас тебя так скручу, что ты уже вообще никогда не раскрутишься!

Я хотела сделать шаг в сторону, но мордоворот больно ущипнул меня за грудь и повалил прямо на пол. Наши силы были неравны, но я все же стала отчаянно сопротивляться. Амбал надавил на мою простреленную руку, я громко завизжала и почувствовала слабость и головокружение. Еще не хватало свалиться в обморок и быть изнасилованной этим чудовищем. Откинув больную руку назад, я случайно наткнулась на кирпич.

— Расслабься, дура! — пыхтел мордоворот, пытаясь раздвинуть мои ноги. — Расслабься и получи удовольствие, иначе я разорву тебя к чертовой матери!!!

Я попыталась поднять кирпич, но у меня ничего не вышло: кирпич оказался ужасно тяжелым, практически неподъемным. Меня охватило отчаяние, из глаз хлынули слезы. Я поняла, что больше не могу сопротивляться. Слабость и головокружение словно парализовали мое тело, не давая пошевелиться. В тот момент, когда я почувствовала в себе чужую плоть, я собрала остаток сил и, ухватив кирпич, опустила его на голову насильника. Я колотила до тех пор, пока из его головы не хлынула кровь...

— Чтоб ты сдох, сволочь! — громко кричала я, стаскивая с себя неподвижное тело.

Мордоворот не подавал признаков жизни. Перевернув его лицом вверх, я с ужасом посмотрела на окровавленный кирпич и растекающуюся лужу крови. Я попыталась нащупать пульс. К моему ужасу, пульса не было. Сев на корточки, я потрясла мордоворота за плечо:

— Эй, ты живой? Ты что, и в самом деле умер?!

Ответа не последовало. Прошло немало времени, прежде чем я поняла, что убила человека. Убила довольно буднично и совсем необычно для женщины — кирпичом по голове. Я постаралась взять себя в руки и стала убеждать себя в том, что ни в чем не виновата, что это произошло в целях самообороны. Окончательно придя в себя, я поняла, что должна сейчас думать о себе, о своей дочери и о своей подруге. Пересилив страх, я обыскала покойника в надежде найти телефон, но мои усилия оказались тщетными. Зато я нашла пистолет, который мирно лежал в кармане насильника. Проверить, заряжен ли он, я могла, только сделав выстрел. Я сняла его с предохранителя и выстрелила в стену. Выстрел получился громким, а в стене появилась дырочка. Я нашла черный пакет, сунула в него пистолет и все деньги, которые были в бумажнике охранника. Затем быстро обошла весь дом в надежде найти что-нибудь интересное. Как оказалось, интересного в этом доме было предостаточно. В самой дальней комнате стоял старый, совершенно невзрачный деревянный ящик. Открыв крышку, я вздрогнула — в нем лежали гранаты. Взяв парочку, я аккуратно положила их в пакет. Пора было бежать из этого дома со всех ног... Выйдя на крыльцо, я затаила дыхание и огляделась. Убедившись, что ни охраны, ни собак здесь нет, я бросилась к воротам. К счастью, ворота были закрыты на обыкновенный засов. Пройдя немного, я остановилась и вытерла слезы. Подсознательно я чувствовала, что где-то рядом дорога.

Неожиданно совсем близко послышался звук подъезжающей машины. Я остолбенела от страха. Прошло несколько секунд, прежде чем я начала приходить в себя.

«Ничего, — подумала я, сжимая ручки пакета, — это просто случайная машина со случайными людьми, для которых я не представляю никакого интереса». Я еще не знала и не могла знать, что подъезжающая машина окажется далеко не случайной, а совсем даже наоборот. Выйдя на проселочную дорогу, я увидела, что навстречу мне едет бордовая иномарка и мигает фарами. Я сошла на обочину, чтобы пропустить машину, но она остановилась сразу, как только поравнялась со мной. Из машины выскочили трое: мой курортник, мордоворот, которого, по всей вероятности, звали Коляном, и еще один незнакомый тип. Олег бросился ко мне:

— Наташка, с тобой ничего не случилось? Тебя же всю трясет, — говорил он, обнимая меня.

— Со мной ничего не случилось, — сказала я

и не узнала собственного голоса. — Ничего, не считая того, что меня привезли к черту на кулички, и я не знаю, как вернуться домой.

— Сейчас я тебя отвезу, глупенькая. Скажи, ты сильно перепугалась?

Я не ответила и отстранилась.

— Прости, что я впутал тебя в это дело, — сказал Олег. — Мы с Шульцем в расчете. Просто немного повздорили по коммерческим вопросам.

— Хорошо же вы вздорите. Вы вздорите, а я, значит, отдуваюсь.

Тут рядом со мной очутился какой-то тип, взял мою руку и поднес к своим губам:

— Извини, но ведь тебя же и пальцем никто не тронул. Пока ты сидела в этом доме, мы с Олегом пришли к общему знаменателю...

— Как это меня никто не тронул? — перебила его я. — А то, что я эфиром надышалась, то, что у меня голова раскалывается, это не в счет?! У меня, может, дела неотложные, а из-за вас я в этом доме столько времени потеряла!

— Это я виноват, что впутал тебя во все это. — Олег тяжело вздохнул.

К нам подошел тот мерзкий тип, которого, по всей вероятности, звали Коляном, и подозрительно спросил:

— А где Витюха?

— Какой еще Витюха? — растерялась я.

— Тот самый, который получил приказ тебя

стеречь, — пояснил Шульц. — Как ты вообще вышла из дома?

— Он спит, — неожиданно для себя выпалила я.

— Как это спит?

— Я приготовила ему курицу с картошкой. Он выпил очень много водки и уснул прямо сидя за столом.

— Витюха вообще никогда не пьет, — изумленно сказал Колян. — Он водку на дух не переносит.

— Не знаю, пьет он водку или не пьет, но сейчас напился, как сволочь, — врала я напропалую. — Напился и уснул прямо за столом. Я подловила момент и решила сбежать. Так что можете идти его будить. А за меня не переживайте. Я сама доберусь.

— Я тебя больше никуда не отпущу, — испуганно сказал Олег. — Я и так перед тобой по самые уши виноват. Сейчас поймаем такси и вернемся домой.

— Да нет, Олег, не нужно. Иди со своими товарищами. Буди Витюху, а я позабочусь о себе сама.

— Ты хочешь сказать, что наш курортный роман закончился?

— Извини, у меня столько проблем, что мне сейчас совсем не до курортного романа.

— Ладно, вы тут разбирайтесь, а мы пойдем в

дом и разбудим Витюху, — сказал Шульц. — Я ему сейчас такое устрою... Будет знать, как спать на рабочем месте! Лапоть хренов!

Как только Шульц с Коляном отошли, я испуганно посмотрела на Олега и прошептала:

— Я его убила.

— Кого?

— Этого Витюху. Они зайдут в дом и обнаружат труп.

— Ты это серьезно?

— Серьезнее не бывает. Он хотел меня изнасиловать, а может, даже изнасиловал! Я сама толком ничего не поняла! Там лежал кирпич. Я подняла его с пола и ударила по голове. Я била его до тех пор, пока из головы не хлынула кровь!

Олег смотрел на меня в упор.

— Да кто ты такая? — спросил он совсем тихо, словно этот вопрос предназначался ему самому. — В тебя кто-то стреляет, у тебя список моих банковских счетов и моя фотография, ты забиваешь до смерти здорового мужика кирпичом...

— Я обычная девушка из Москвы, которая приехала в Ялту, чтобы услышать, как поет подруга, и встретить тебя. Просто я попала в такие обстоятельства...

— Но ведь ты вообще обо мне не знала?!

— Я знала о тебе еще в Москве. Повторяю, я тебя придумала, а потом встретила здесь.

— Господи, какая же ты все-таки сумасшедшая. Нужно срочно уносить ноги, но куда? Шульц перероет всю Ялту и обязательно нас найдет.

— О твоей ссоре с Шульцем знал кто-нибудь еще?

— Нет.

— Тогда он не перероет всю Ялту, — решительно сказала я и достала из пакета боевую гранату.

— Откуда это? — выпучил глаза Олег.

— От верблюда. Бери, кому говорят. Ты знаешь, как ею пользоваться?

— В общем-то да. Тебе объяснить?

— Мне не нужно ничего объяснять. Сейчас ты мне все покажешь на практике. Я вообще ненавижу теорию.

Доставая вторую гранату, я увидела, что из дома выбежали Шульц и Колян.

— Олег, твоя девка замочила Витька! — закричал Шульц и достал пистолет. Олег загородил меня собой и тоже достал оружие.

— Он хотел ее изнасиловать, — сказал мой курортник.

— При чем тут это? — снова крикнул Шульц. — Она его замочила.

— Мне пришлось это сделать в целях самообороны! — выкрикнула я из-за спины Олега, дернула чеку и бросила гранату туда, где стояли Шульц и Колян. Олег повалил меня на землю и накрыл своим телом. Раздался такой мощный взрыв, что я почувствовала чудовищную боль в ушах. Когда все стихло, Олег приподнялся и стал стряхивать с себя землю.

— На черта ты это сделала? Мы бы могли уладить этот конфликт мирным путем. — Он ударил кулаком по земле.

То, что Шульц мертв, не вызвало никаких сомнений. Его голова была неестественно запрокинута, а из правого уха текла кровь. Колян лежал рядом и слегка постанывал.

— Он жив, — сказала я и испуганно посмотрела на Олега.

Он достал пистолет и дважды выстрелил в раненого Коляна.

— Чтоб не мучился, — глухо сказал он и спрятал пистолет в карман. — Какого черта ты это сделала?

— Потому что этого не сделал ты.

— И часто ты гранатами разбрасываешься?

— В первый раз.

— Да неужели?!

— Представь себе.

— И кто же тебе теорию объяснил?

— Я в школе уроки военного дела изучала. У меня, между прочим, пятерка была. В доме гранат целый ящик. Хочешь, еще наберем?

— Хватит! — гаркнул Олег. — Ты точно сумасшедшая. — Он наклонился и извлек из кармана

Шульца приличную пачку долларов. — Зачем покойнику отдавать долги?

Сунув пачку себе в карман, он взял меня за руку и со словами: «Надо уходить» — повел меня подальше от трупов. Остановившись у лежащей на земле гранаты, которую до того, как произошел взрыв, я отдала Олегу, я подобрала ее и сунула в пакет.

— Выброси ее к чертовой матери! Зачем она тебе?! — недовольно сказал Олег. — А если нас где-нибудь менты остановят?

— Ты вон с пистолетом ходишь, и ничего... — возразила я.

— Он у меня зарегистрированный, — ответил он.

Олег заглянул в мой пакет и схватился за голову.

— Господи, у тебя здесь целый арсенал! Откуда этот пистолет?

— Пришлось забрать у Витька, — как бы оправдываясь, сказала я и переложила пакет в другую руку, подальше от Олега.

— И откуда ты только свалилась на мою голову? Ты ведь приносишь одни неприятности!

— Это ты свалился на мою голову! И все неприятности — из-за тебя! — прокричала я и ускорила шаг.

Курортник остановил меня, оглянулся на машину, стоящую рядом с трупами, и закурил.

— Будем ловить такси. На машине Шульца ехать нельзя... Ее тут вся Ялта знает.

— Можешь проваливать на все четыре стороны! — отчеканила я и поправила повязку на простреленной руке. — Я с тобой в одном такси не поеду! Я тебя не знала и знать не хочу!

— Утром ты говорила, что меня любишь...

— Тебе это приснилось. Я вообще, кроме себя, никого не люблю. Я самая красивая, я самая умная, я самая талантливая, — говорила я, размазывая по щекам слезы. — У меня стройные длинные ноги, красивая упругая грудь и восхитительное тело...

— Тогда почему ты одна?

— По кочану!

— Я знаю, почему ты плачешь, — продолжал Олег, семеня рядом. — Потому что тебе мужики какие-то левые попадались.

— А ты правый?

— А я правый. Ты совсем не та, какой хочешь казаться. Ты хочешь казаться сильной, а на самом деле ты очень слабая. Ты делаешь вид, что упиваешься одиночеством, а на самом деле ты от него очень сильно страдаешь. Ты очень ранимая и чувствительная. Я тот, кто тебе нужен! Я именно тот, кого ты так долго искала!

Я смахнула слезы и зло сказала:

— Ты очень высокого о себе мнения. Таких, как ты, целая Германия!

— А таких, как ты, целая Россия! — обиделся Олег и замолчал.

— Таких, как я, в России единицы, — поправила я его и сразу успокоилась. — Тоже мне, жених нашелся. Да я на таких женихов вообще никогда внимания не обращала. Я просто на курорте поразвлечься хотела, и все!

— Поразвлечься, говоришь?!

— Поразвлечься, — хихикнула я.

— Значит, сегодня ночью ты просто развлекалась?

— Просто развлекалась.

— И часто ты так развлекаешься?

— Бывает иногда. Под настроение.

Олег отвесил мне пощечину. Я взвизгнула, остановилась и потерла щеку:

— Кто дал тебе право меня бить?! Ты какого черта руки распускаешь?! Ты мне кто?! Вот сейчас достану гранату и уложу тебя к чертовой матери! У меня опыт имеется!

— Извини, — глухо сказал Олег и прижал меня к себе. — Ты даже не представляешь, какая ты вредная и противная. Мне жаль твоего бывшего мужа. Ему за совместную с тобой жизнь нужно было дать орден «За отвагу» и каждый день наливать стакан молока за вредность, у него с тобой год шел за три.

— Я с тобой в одном такси не поеду, оставь меня, — обиженно сказала я.

— Я тебя очень прошу, поехали вместе, а то ты женщина непредсказуемая, можешь еще чего-нибудь натворить. Ну, Наташка, поехали вместе. Я плачу.

Олег улыбнулся, пытаясь поднять мне настроение.

— Ну, если ты платишь, тогда едем, — рассмеялась я и поцеловала его в щеку...

## ГЛАВА 11

— У тебя есть мобильный? — спросила я, как только мы вышли на дорогу.

Олег похлопал себя по карманам и огорченно вздохнул:

— Вот беда, дома оставил. Я так за тебя волновался, так спешил, что забыл телефон.

— Уж как ты спешишь, я поняла. Трижды помереть можно. Сегодня я вполне наглядно тебе показала, как нужно не спеша улаживать конфликты подобного рода.

— А ты кому хотела позвонить?

— Катьке.

— Не огорчайся. Скоро ты ее увидишь.

Сев в такси, я украдкой посмотрела на часы. Отведенные мне сутки близились к концу. Я вспомнила угрозы Глобуса, и мне захотелось схватить курортника за грудки и вытряхнуть из него эти злосчастные бумаги. Мы проезжали мимо довольно уединенного дикого пляжа. Я постучала водителя по плечу и попросила остановиться.

— Хочу искупаться, — сказала я. — Немного покупаемся, а потом поймаем другую машину и поедем домой.

— Я могу полождать, — услужливо предложил таксист.

— Нас не надо ждать, — отрезала я, вышла из машины и решительно направилась в сторону пляжа.

Олег плелся следом.

— И что это ты надумала купаться? — проворчал он удивленно.

Я огляделась по сторонам. Это было поистине чудесное место. Такое уединенное, такое дикое и такое величественно красивое. Отсутствие отдыхающих говорило о том, что вблизи нет ни пансионатов, ни домов отдыха.

— Я остановила такси не для того, чтобы купаться, — еле слышно сказала я и поправила повязку на руке. — Я остановила машину потому, что хочу тебя.

Олег вытаращил глаза.

— Ну что ты так на меня смотришь? Я тебя хочу! Мы же не могли это сделать в такси на глазах у водителя. Ему бы тоже захотелось.

— Тебе кто-нибудь говорил, что ты сумасшедшая?!

— Я это слышу каждый день.

— И часто тебя посещают такие желания?

— Иногда бывает.

— Совсем недавно ты убила человека, затем бросила гранату в двух других! После всего этого ты еще можешь кого-то хотеть?

— Я хочу тебя, — повторила я и скинула платье.

Олег жадно смотрел на мое обнаженное тело.

— А где твои трусики? — спросил он. — Почему ты без них?

— Их разорвал твой Витек.

— И эти синяки поставил он?

— Он лежал сверху, а я отчаянно сопротивлялась...

— Ну тогда ты правильно сделала, что этого гада замочила, — сквозь зубы процедил Олег и стал сбрасывать с себя одежду. — Ты ко мне хоть что-нибудь чувствуешь или просто развлекаешься? — спросил он, опуская меня на песок.

— Я хочу тебя, — тихо прошептала я и стала жадно его целовать.

Не знаю, сколько времени мы занимались любовью, да я и не хотела этого знать. Я наслаждалась его великолепно сложенным телом, горячими, страстными поцелуями, его тяжелым дыханием и стонами, которые вырывались из моей груди. Ялтинское солнышко обнимало наши тела, и от этого моя страсть усиливалась все больше и больше. Я, как изголодавшаяся кошка, бросалась и бросалась в этот любовный омут...

Когда все закончилось, мы так и остались лежать на песке, не в силах встать и одеться. Я вновь украдкой посмотрела на часы. Время растворялось прямо на глазах, и это приводило меня в удручающее состояние.

— Как долго я тебя искал, — совсем неожиданно сказал Олег.

— Допустим, это не ты меня искал, а я тебя. Если бы я тогда не засекла тебя на пляже, ты бы никогда в жизни меня не встретил.

— Я заметил тебя еще в тот момент, когда ты шла к бару.

— Не ври. Ты болтал по мобильнику и не обращал на меня никакого внимания.

— Да на тебя трудно не обратить внимание! Ты была в таком откровенном купальнике, что на тебя обращала внимание вся мужская половина пляжа.

— Тогда почему ты не подошел ко мне знакомиться, когда я сидела в баре и пила виски?

— Потому что я совсем не такой, как ты.

— А я, по-твоему, какая?

— Ты непредсказуемая, и тебе неизвестно, что такое стеснение.

— Можно подумать, ты у нас стеснительный.

— Ну, я не стеснительный, но и не такой наглый, как ты.

— Я, по-твоему, наглая?

— Просто я видел, как ты бесцеремонно расчищала площадку... На тебя кричали, а тебе хоть бы хны. Я еще подумал — какая наглая девица, ведь люди места с шести утра занимали, там даже яблоку было негде упасть.

— Так ты все это видел?

— Я просто делал вид, что ты совсем меня не интересуешь. Когда ты сняла купальник и стала маячить перед моим носом своими грудями, я понял, что пропал.

— Тогда почему ты не стал знакомиться первым?

— Я подумал, что если ты смогла так бесцеремонно устроиться рядом со мной, наплевав на приличия и мнение окружающих, то уж найти повод, чтобы заговорить, для тебя просто пара пустяков. Я даже видел, как ты сама оторвала у игрушечного котенка хвост.

— Да пошел ты! — громко рассмеялась я. — Получается, ты все видел.

— Ты всегда так отдыхаешь? Тебя одну вообще нельзя никуда отпускать. Я всякое видел, но такое...

Олег приподнялся и положил руку на мою грудь. Нежно ущипнув мой сосок, он посмотрел на меня и совсем тихо спросил:

— Наташа, кто ты? Откуда у тебя фотография и список банковских бумаг? Некоторые бумаги из этого списка особой секретности. О них знают только самые близкие люди. Объясни, кто тебе это дал, на кого ты работаешь.

— Я ни на кого не работаю, — резко ответила я. — Просто я попала в такое дерьмо, что мне очень трудно оттуда выбраться. Ты замечательный мужчина, и нам было здорово вместе. Это был прекрасный курортный роман, и мне очень жаль, что у этого романа такой печальный конец. Извини, Олег, но я должна тебя разорить.

Олег уставился на меня ничего не понимающим взглядом.

— И каким же образом ты собираешься это сделать? — спросил он.

— Самым обыкновенным. Хочешь, я достану пистолет и буду держать тебя под прицелом?! Хочешь, достану гранату и начну тебя пугать?! У меня осталось очень мало времени, и ты должен отдать мне эти чертовы бумаги!

— Дура! — разозлился Олег и стал трясти меня за плечи. — Ты что, совсем конченая дура? Ты хоть понимаешь ценность этих бумаг? Забудь про них, поняла?!

— Хорошо, я забуду, — словно в бреду сказала я и отодвинулась от Олега. — Я забуду. Только сейчас я поймаю такси и поеду в милицию, чтобы написать заявление о жестоком изнасиловании. Все мое тело в синяках, анализ спермы — пожалуйста. Даже огнестрельное ранение и то есть. Так что не видать тебе Германии как своих ушей. Ты только представь, сколько тебе за это дадут! Я сыграю роль несчастной, обманутой женщины!

Олег подполз ко мне, взял меня за плечи и заглянул в глаза:

— Зачем тебе это нужно?! Ты не увидишь этих бумаг. Забудь.

— Тогда ты окажешься за решеткой.

Я встала, быстро надела платье и крикнула голосом победителя:

— Вот видишь, у меня даже трусов нет! Скажу, что ты их разорвал! От такого менты вообще одуреют!

Олег подошел к своей одежде, спокойно оделся и вдруг вытащил из кармана пистолет. Быстро схватив свой пакет, я бросилась со всех ног в сторону шоссе. Олег побежал следом и уже через несколько секунд сбил меня с ног. Я попыталась встать, но тщетно. Олег крепко держал меня.

— Пусти, ненормальный! — кричала я. — У меня пакет с гранатой. Одно неловкое движение, и она взорвется! У нас же дети...

Олег сел на меня сверху так, что я не могла пошевелиться. Ткнув пистолетом мне в затылок, он снял его с предохранителя и жестко сказал:

— Отодвинь пакет с гранатой в сторону, иначе я стреляю.

Я никак не отреагировала на его слова, я продолжала прижимать пакет к себе.

— У тебя что, со слухом плохо, придурочная?! Я же, ей-богу, тебя сейчас убью. Ты кого хочешь из себя выведешь. У тебя дочка совсем одна останется. Мало того что у нее отца нет, так еще и матери не будет.

Услышав последние слова, я откинула пакет в сторону и расплакалась.

— Как только я увидел тебя, я сразу понял, что ты ненормальная. Просто я не ожидал, что до такой степени.

— Убери пистолет. Мне голову больно.

— Ничего, потерпишь. И куда ты сейчас собралась?

— В милицию.

— Зачем?

— Писать заявление об изнасиловании.

— Послушай, ты что несешь? Ты в своем уме?

— В своем. Ты же не хочешь отдать мне эти бумаги!

— Зачем они тебе нужны?! Ты же все равно в них ничего не понимаешь?!

— Они нужны не мне, а одному человеку.

— Кому?

— Какая тебе разница?

— Говори, а то я стреляю. Ты же видела, что я снял пистолет с предохранителя!

— Видела, только я не уверена, что в патроннике есть патроны.

— Есть, можешь не сомневаться.

— Точно?

— Точно. Давай проверим.

Он поднял руку и нажал на курок. Прозвучал громкий выстрел.

— Ну что, убедилась, Фома неверующий?

— Убедилась.

— А теперь рассказывай, кто ты и какого черта тебе нужны эти бумаги.

Я не стала больше испытывать судьбу и решила рассказать все от начала и до конца. Я рассказала про то, как приехала в Ялту к своей подруге, про Мазая, случайную перестрелку и про встречу с Глобусом. Голос у меня дрожал, я часто сбивалась. Когда я дошла до угроз в адрес моей дочери и подруги с детьми, я почувствовала, что больше не могу сдерживаться и разревусь.

Олег сунул пистолет в карман. Я села и обхватила колени руками. Мы долго молчали. Я не поднимала глаз, чтобы не встретиться с ним взглядом. Первым нарушил молчание Олег.

Он поднял булыжник, кинул его в море и чуть слышно спросил:

— Почему ты мне сразу ничего не рассказала? Я же твой друг.

— Да каким же ты можешь быть другом, если я знаю тебя всего два дня!

— А сколько нужно друг друга знать, чтоб быть друзьями?

— Не знаю. Иногда мне кажется, что на это требуются целые годы. В Москве у меня есть друг, Димка. Мы вместе уже очень много лет, и я всегда могу на него положиться. Я могу позвонить ему среди ночи, он примчится в любую минуту. У всех женщин есть подруги, а у меня друг. Это так необычно...

— Вы с ним спите?

— Нет.

— Он женат?

— Нет.

— Тогда в чем же дело?

— Иногда мне кажется, что это неправда: много лет назад мы были любовниками, а потом нам стало скучно в одной постели, и мы, забыв про интим, стали настоящими и преданными друзьями.

— Он тебя ревнует?

— Ревнует. Странно, за столько лет он до сих пор не может привыкнуть к моим выходкам.

— Быть может, он тебя любит?

— Может, и любит.

— Он боится тебя потерять?

— Разве можно бояться потерять то, что тебе не принадлежит?!

— Тоже верно, — задумчиво сказал Олег. — И все-таки, почему ты не захотела мне рассказать про разговор с Глобусом?

— Потому что, если бы я выкрала у тебя эти бумаги, ты бы потерял только деньги, а я могу потерять дочь...

— Тебе нужно срочно забирать ребенка и уезжать в Москву. Сейчас возьмем такси, заезжаем за девочкой, и я отвожу тебя на первый же самолет. А еще лучше, приезжай в Бремен. Насовсем.

— Я не хочу в Бремен.

— Почему?

— Потому что я хочу жить в Москве. Чужой народ, чужой язык, чужая страна... Я к этому не готова. Пусть у меня убогая, ужасная, страшная Родина, но она мне родная. Это очень важно, понимаешь?

— Это бред. Я ведь привык! Мы объездим всю Европу! Нам будет здорово вместе! Ты даже не представляешь, как долго я тебя искал! Я придумал себе женщину и долгие годы жил этим идеалом, а прилетел в Ялту и увидел, что она существует.

— Я не могу, прости, — грустно сказала я. — Я остаюсь в Ялте.

Олег посмотрел на меня, как на сумасшедшую.

— Ты это серьезно?

— Вполне. Я не могу уехать из Ялты, пока не буду уверена, что моей дочери и моей подруге ничего не угрожает. У нее двое детей, и я несу за нее ответственность.

— Да при чем тут подруга?!

— Мы знаем друг друга уже черт знает сколько лет. Я не могу с ней так поступить. Много лет назад я работала за границей.

— Ты работала за границей?

— Да, а что тебя так удивляет?

— И в качестве кого ты там была?

— Я пела в ресторане.

— Ты пела в ресторане? У тебя хороший голос?!

— Был когда-то, а потом я его потеряла. У меня был нервный срыв, и голос куда-то пропал.

Олег провел ладонью по моим волосам и совсем тихо сказал:

— Господи, я ведь ничего о тебе не знаю.

— Так вот. У меня было паршивое настроение. Я зашла в соседний ночной клуб, села за столик и увидела Катьку. Она пела таким чистым и искренним голосом, что у меня забегали мурашки и пересохло во рту. Мы работали в соседних заведениях и даже не подозревали о существовании друг друга. Нам было очень тяжело, и мы стали вместе преодолевать трудности. Это было страшное время, я не люблю об этом вспоминать. Мы мечтали вернуться на Родину и каждый день вспоминали своих родных, которые остались так далеко... Мы вспоминали, строили планы и твердо знали, что, как только вернемся, будем обязательно счастливы. Мы честно отработали положенный по контракту срок и с радостью вернулись домой. Но, к сожалению, и здесь не нашли того, что искали. Мы так и не смогли быть счастливы. Мне очень часто снится мой ресторан, который остался где-то там, далеко... Микрофон, сцена... В той жизни были и свои прелести... Было огромное желание жить, была цель, а теперь ничего этого нет. Катька — моя подруга от бога, и я не могу уехать, зная, что ей угрожает опасность.

Я замолчала и посмотрела в сторону моря. Олег хотел меня обнять, но я отстранила его руку.

— Все, хватит, — резко сказала я. — Мне нужно ехать к Катьке и сделать так, чтобы все были живы, здоровы и никому не угрожала опасность. Ты же ведь не отдашь мне эти чертовы бумаги?!

— Нет, конечно, — серьезно ответил Олег. — Я же не сумасшедший.

Я встала с песка и прокричала что было сил:

— Ну и подавись своими бумагами! Тебе совершенно на меня наплевать! Убирайся ко всем чертям!!! Чтоб тебе эти бумаги встали поперек горла!!!

Олег тоже поднялся и приблизился ко мне.

— Успокойся. Скажи, куда ты собралась?

Я истерично засмеялась:

— Не бойся, я не пойду в милицию писать заявление об изнасиловании. У меня, слава богу, еще есть совесть... Это я так просто ляпнула. Я была в отчаянии. Но поверь, я бы никогда не смогла этого сделать. Хоть ты и говоришь, что я сумасшедшая, но ведь не до такой же степени! Так что езжай в свою Германию, делай свой бизнес и не забивай себе голову моими проблемами! Я справлюсь, я же сильная! Ты даже не представляешь, какая я сильная! У меня были передряги намного хуже!

— Да куда уж хуже, — проворчал Олег и нахмурился.

— Бывало и намного хуже. — Мне показалось, что я разговариваю сама с собой. — Просто ты никогда не был женщиной и никогда не работал за границей... Это были очень страшные времена. Единственный плюс, что тогда у меня не было дочери. А сейчас я несу ответственность за это маленькое, подаренное мне богом чудо. Но я выкарабкаюсь! А ты езжай в свой Бремен и развивай бизнес. Только ты должен знать, что в бизнесе не бывает друзей. Там одни враги, которые постоянно заглядывают в твой карман и смотрят, чтобы ты не стал богаче. Тебя кто-то предал. Кто-то из близких. Кто-то рассказал о твоих засекреченных бумагах Глобусу. Я уверена, что это Вадим.

— Я тоже об этом подумал. Знаешь, о некоторых бумагах не знает никто, кроме него.

— Вот и лети в свою Германию и увольняй его к чертовой матери. И впредь будь осторожен, бизнес — штука коварная.

Вдруг меня снова охватило чувство опасности. Я огляделась по сторонам. На минуту мне показалось, что где-то там, в тени больших раскидистых кустов, кто-то наблюдает за мной, следит за каждым моим шагом. Я растерянно потерла виски.

— Что-то случилось? — спросил Олег. — На тебе лица нет.

— Мне плохо, — простонала я и вновь посмотрела в сторону кустов.

— Рука?

— Мне просто плохо...

Олег притянул меня к себе и прошептал:

— Глупенькая, успокойся, все будет хорошо. Мы обязательно что-нибудь придумаем и выберемся из этой ситуации. Неужели ты думаешь, что я смогу оставить тебя одну?

— Тогда отдай мне бумаги.

— Не могу. Это мой бизнес, это моя жизнь, я посвятил этому очень много лет.

— Господи, принес же меня шут в эту Ялту?! Сидела бы в своей Москве и ни о чем не думала. Ну почему Катька не живет где-нибудь в Сочи? Хотя я не сомневаюсь, что там было бы то же самое. Я всегда попадаю в самые критические ситуации, а потом долго из них выбираюсь.

— Это мне не нужно было никуда лететь. Правда, если бы я сюда не приехал, то никогда бы не встретил тебя.

— Эта встреча не принесла нам ничего, кроме неприятностей, — прошептала я, глядя на кусты.

— Просто это наглядный пример того, что в

жизни ничего не дается даром. Нужно уметь платить за счастье. Нам дано испытание, и мы обязаны его преодолеть. Мы справимся, потому что нас двое. Скажи, ты хоть немного меня любишь?

Я посмотрела на Олега:

— Какая, к черту, любовь! Моим близким угрожает опасность, а ты философствуешь.

Из-за кустов раздался выстрел, и Олег медленно опустился на песок. Я закричала и схватилась за голову. Вторая пуля пролетела в миллиметре от меня. От страха я бессмысленно металась по пляжу. Пули ложились рядом со мной, но ни одна из них так и не задела меня. Когда выстрелы затихли, я подбежала к своему пакету, выхватила гранату и ринулась к кустам с криком:

— Получай, сука! Подлая тварь! Хочешь меня убить? Не получится! Я живучая!

Я остановилась, выдернула чеку, швырнула гранату и упала на песок. Прогремел мощный взрыв. От едкого дыма заслезились глаза, а сердце забилось так, что я отчетливо слышала его глухие удары в своих ушах. Подождав немного, я поднялась, добрела до кустов и прошла их вдоль и поперек. Я и сама не понимала, что ищу. Быть может, труп, а может, разорванные части тела... Но в кустах ничего не было. Ничего, кроме пистолета. Подняв его, я нажала на курок, но патронник был пуст.

— Сбежал, падла! — вздохнула я и направилась к Олегу.

Олег слегка приподнялся и пытался перевязать свою простреленную руку. Я не на шутку перепугалась и поспешила наложить повязку.

— Ерунда, пуля прошла насквозь, — сказал Олег. — Точно такое же ранение, как и у тебя.

— Эта сволочь только по рукам стрелять умеет, — выругалась я. — Чтоб у него самого руки поотсыхали. Тебе нужно в больницу.

— Черт с ней, с больницей. До свадьбы заживет.

— А свадьба-то когда?

— Как скажешь, так и устроим. Наташка, ты опять гранатами кидалась!

— Не говори. И все-таки я этого гада уложить не смогла. Убежал, зараза. Пустой пистолет выкинул и дал деру!

— Ты хоть знаешь, кто это такой?

— Не имею понятия.

— Может, ты с кем-нибудь законфликтовала?

— Я вообще бесконфликтный человек.

— Тогда это люди Глобуса.

— Это тоже отпадает. Если бы Глобус хотел меня убить, то сделал бы это прямо на своей вилле. Зачем ему меня убивать, если он хочет вытрясти у комерса деньги. Я имею в виду тебя.

Олег встал. Он был ужасно бледен, губы посинели до такой степени, что я испугалась:

— Олег, тебе плохо? Поехали в больницу.

— Нет. Мне хорошо, — сморщившись, проговорил он. — Мне очень хорошо. Скажи, отведенные тебе сутки уже истекли?

Я посмотрела на часы:

— Осталось ровно два часа.

— Я нашел выход. Я сделаю то, что исправит положение и сохранит жизнь твоей дочери, тебе, твоей подруге, ее детям.

Голос Олега дрожал. Он говорил бессвязно, и могло показаться, что человек не в себе.

— Что ты собрался сделать?

— Я собрался облегчить тебе жизнь. Но прежде хочу сказать, что ты замечательная женщина. Ты очень красивая и очень отважная. Ты обязательно будешь счастлива, вот увидишь.

Он достал из кармана пистолет и пошел к морю. Я бросилась следом:

— Олежка, ты что собрался делать?!

— Езжай домой, звони Глобусу и скажи, что я погиб. Нет человека — нет проблем, а это значит, что нет и никаких бумаг.

— Ты что, совсем спятил?! — опешила я. — Неужели для тебя бумаги дороже, чем собственная жизнь?!

Раздался громкий выстрел, и Олег упал. Через несколько секунд его накрыла волна. Я подбежала и стала судорожно искать его под водой. Это мне удалось. Я пыталась оттащить его от воды, чтобы он — если жив — хотя бы немного подышал воздухом. Он стал таким тяжелым, что я с трудом удерживала его. Наконец вытащила его на берег и, обессилев, упала на песок, громко рыдая:

— Господи, ну зачем ты это сделал?! Я же влюбилась в тебя, дурачок! Я хотела поехать к тебе в Бремен, варить тебе щи и ждать тебя с работы! Олег, ты живой?!

Накатилась огромная волна и накрыла Олега. Схватив его за плечи, я оттащила его подальше, упала рядом и затихла. То, что Олег был мертв, не вызывало сомнений. Его глаза были открыты и смотрели в одну точку. Нос заострился, а губы приняли синюшный оттенок. Вся рубашка была в крови, наверное, пуля попала в сердце. Меня заметно трясло, но из глаз больше не капали слезы. Видно, я выплакала все, что можно. Я погладила Олега по голове.

— Ну зачем ты это сделал? Это не выход из положения. Ты даже не посоветовался со мной. — Я поцеловала его в лоб. — Я не развлекалась с тобой. Я тебя полюбила. Просто по-другому я не умею... В моей жизни все происходит быстро. Быстро знакомлюсь с мужчинами, быстро с ними расстаюсь и быстро остаюсь совсем одна...

Посидев немного рядом с Олегом, я достала из своего пакета пистолет, сунула его под мышку, всхлипнула и пошла к шоссе.

## ГЛАВА 12

Поймав первую попавшуюся попутку, я плюхнулась на заднее сиденье и закрыла глаза. Одна за другой передо мной вставали картины: пляж, битком набитый народом, и ОН, мой придуманный курортник, который, оказывается, существовал в реальности; наше катание на яхте и наша ночь, проведенная на медвежьей шкуре... В моей жизни было много мужчин, и я знала, как это важно, когда с человеком приятно проснуться утром... Иногда бывает совсем обратное. Бурная страсть, умопомрачительный секс... но утром ты открываешь глаза и хочешь только одного — чтобы твой ночной гость побыстрее ушел. Такое бывает чаще, от этого никуда не денешься. С Олегом все было совсем по-другому. Я долго на него смотрела и понимала, что хочу с ним просыпаться еще и еще... Неожиданно опять появились слезы, и я тихонько всхлипнула. Я снова услышала выстрел, который оборвал жизнь Олега; я вспомнила, как тащила его из воды и как жестокие большие волны пытались его у меня отобрать...

— Девушка, вам плохо? — спросил водитель.

— Спасибо. Мне очень хорошо, — ответила я.

— Я бы не сказал. Вы плачете. Вас кто-то обидел?

Я отвернулась к окну и достала платок, чтобы вытереть слезы.

— Не расстраивайтесь, — не унимался водитель. — Вы еще слишком молоды. У вас все впереди. Вы ведь приехали к нам из Москвы?

— А откуда вы знаете?

— У вас акцент московский. Москвичи к нам теперь редко приезжают. Ялта стала теперь непрестижной. Все норовят или в Сочи, или куда-нибудь за границу. А у нас здесь здорово! Ешьте побольше фруктов, купайтесь, загорайте и ни о чем не думайте. Вы уже катались на канатной дороге?

— Каталась, — тихо ответила я и вспомнила тот вечер.

— Вам было страшно?

— Я вообще высоты боюсь.

— Первый раз всегда страшно, а потом ничего, привыкаешь. Местных жителей этой дорогой уже не удивишь.

Я и не заметила, как мы подъехали к Катькиному дому. Рассчитавшись с таксистом, я тяжело вздохнула и постаралась взять себя в руки. Катерина сидела в гостиной, смотрела на огонь камина и потягивала виски прямо из горлышка. Услышав мои шаги, она повернулась. Лицо ее осунулось, глаза были полны ужаса.

— Катя, это не привидение, это я, — тихо сказала я и села рядом.

— Господи, ты живая?! — громко вскрикнула Катька и бросилась мне на шею. Я не сдержалась и заревела:

— Конечно, живая, а какая я, по-твоему, должна быть, мертвая, что ли?!

— Я уже думала, что тебя нет в живых. Ты так долго не давала о себе знать.

— У меня просто не было под рукой телефона, поверь, — виновато сказала я. — Дети где?

— Как — где? С мамой.

— Ты звонила?

— Звонила, буквально полчаса назад. Все нормально. Все живы, здоровы, играют. Ты выкрала эти проклятые бумаги?

— Нет, — скорбно ответила я, отняла у Катьки бутылку.

— Почему? Что же нам теперь делать?

— Ничего не надо делать.

— А где твой курортник?

— Он мертв, — с трудом выговорила я и сделала несколько довольно больших глотков.

Ничего не понимающая Катька смотрела на меня своими огромными глазами.

— Как это мертв?!

— Не знаю. Просто мертв, и все.

— Его убили?

— Его никто не убивал, он убил сам себя. Он посчитал, что эти проклятые бумаги стоят намного дороже, чем его жизнь.

— Он что, совсем ненормальный?!

— Не знаю. Он сказал, что нашел выход из этого тупика. Больше нам ничего не угрожает. Нет человека, нет проблем, и нет никаких бумаг...

Сделав еще несколько глотков, я уткнулась Катьке в плечо и громко заплакала. Катька что-то бормотала и гладила мои волосы. Я всхлипывала и продолжала рассказывать:

— Представляешь, он выстрелил себе в грудь и упал прямо в море. Я пыталась его спасти, но там были такие большие волны... Они накрывали нас прямо с головой... Я пыталась вытащить его из воды, но у меня ничего не получилось. А потом он был уже мертв.

Мой рассказ привел Катьку в отчаяние.

— Господи, Наташка, что ж это делается-то?! Все вокруг умирают. Прямо как тогда, когда мы работали за границей. Я когда на Родину вернулась, долго лечилась у психоаналитика. На сеансы гипноза ходила. Хотела хоть немного забыться. Думала, что, как только до дома доберусь, больше никогда не увижу чужую смерть с такого расстояния, как раньше... А тут еще хуже... Казалось бы, ведь мы дома, а опять по уши в дерьме. Тебе жалко твоего курортника?

— Конечно, жалко. Он ведь неплохой мужчина, только как-то глупо сам себя жизни лишил. Неужели эти бумаги стоят дороже, чем жизнь?!

— Он ведь коммерсант. Коммерсанты мать родную продадут, но с деньгами не расстанутся.

Катька замолчала. Я сидела, обхватив колени, и смотрела на огонь.

— Знаешь, а ведь я его почти полюбила, — тихо сказала я. — Наверно, со мной такого больше никогда не будет. Я придумала себе мужчину... Придумала все, вплоть до мельчайших подробностей, и в глубине души не верила, что он есть в реальности...

— Как это не верила?! Ты мне все уши про него прожужжала.

— Это я просто так. А на самом деле я думала, что обманываю сама себя. Когда я его вживую увидела, то не поверила собственным глазам.. Я только его нашла и так быстро потеряла...

— Знаешь, что я тебе скажу, у твоего курортника с головой не в порядке. Где это видано, чтобы человек с нормальной психикой сам в себя стрелял! Наверняка у него какие-то отклонения были. Лучше бы он тебе эти долбаные бумаги отдал.

— Мы с ним во всем друг другу подходили.

И душевно, и в постели... Я как вспомню, как я его мертвого из моря тащила, так прямо сердце кровью обливается. И почему жизнь, подлянка, такая несправедливая, только встретишь что-нибудь путное, так она обязательно у тебя это отнимет...

— Катя, а ведь нам нужно в милицию сообщить.

— Зачем?

— Затем, чтобы его нашли и похоронили по-человечески.

— Его и без тебя найдут. В милицию позвонишь, номер определят и начнут к тебе цепляться. Я эту кухню наизусть знаю. Ты единственный свидетель его смерти, поэтому с тебя и будет спрос. Лучше в это дело не лезь. Ты ничего не видела, ничего не знаешь, а уж я тебе алиби всегда обеспечу.

— А вдруг его не найдут?

— Найдут. Можешь не переживать. Как-никак, а это на пляже было. Кто-нибудь из отдыхающих придет, увидит труп и сообщит в милицию. Только пусть этот кто-то будет со стороны.

— Да там пляж дикий, — сказала я.

— В Ялте пустых пляжей не бывает. На любой пляж какие-нибудь отдыхающие нагрянут, можешь быть уверена.

Катька замолчала, тихонько всхлипнула и еле слышно спросила:

— Ты по нему сильно страдаешь?

— Очень, — призналась я. — Он замечательный. Он сказал, что очень долго меня искал...

Взглянув на часы, я заорала что было сил:

— Сутки уже истекли! Где телефон?!

Катька подскочила и протянула мне телефонную трубку. Я набрала номер мобильного Глобуса и стала с нетерпением ждать. Услышав голос Глобуса, я перевела дыхание и быстро затараторила:

— Глобус, это Наташа. Дело в том, что я больше ничем не смогу тебе помочь. Комерс, которого ты хотел расколоть на деньги, мертв. Он лежит на одном заброшенном пляже не доезжая Ялты. Он застрелил сам себя. Так что, нет человека, нет проблем, а если нет проблем, то это значит, что нет никаких бумаг.

— Ты чо несешь? — недовольно остановил меня Глобус.

— Олег мертв, ты можешь это понять?! — прокричала я. — Он умер два часа назад! Ты сам виновен в его смерти! Он просто сломался, потому что очень сильно за меня переживал! — Я бросила трубку и посмотрела на Катьку опустошенным взглядом.

Жил себе человек в Германии, вставал на ноги, делал свой собственный бизнес, растил дочь... Нет, обязательно найдутся люди, которые постараются все это разрушить...

Раздался пронзительный телефонный звонок. Я вздрогнула.

— Возьми трубку, это Глобус, — сказала Катька.

Я отошла от телефона и замотала головой:

— Говори с ним сама. У меня больше нет ни сил, ни желания.

Катерина сняла трубку. Я видела, как испуганно округлились ее глаза, а руки задрожали так, что, казалось, еще немного, и она выронит трубку. Когда закончился телефонный разговор, она уже не могла стоять на ногах и жадно ловила ртом воздух.

— Что случилось? — с трудом выдавила я. Катерина достала сигареты и закурила:

— Наташка, я даже не знаю, как тебе это сказать. Мне кажется, что я не смогу. У меня просто не повернется язык...

— Говори, не тяни резину...

— Это так страшно. Такого никогда не было. Моя мама всегда хорошо следила за детьми.

— Что случилось? — выкрикнула я и оперлась о стену.

— Твоя дочка пропала, — безжизненным голосом сказала Катька.

— Как это пропала?

— Она гуляла вместе с моими детьми во дворе. Мама готовила на кухне ужин. Остановилась темная иномарка. Из нее вышел пожилой мужчина и спросил, кто из детей Наташина дочка. Лерка с радостью сообщила, что это она. Мужчина дал ей шоколадку, сказал, что ее очень хочет видеть мама, и увез ребенка. Когда мама выскочила из дома, было уже поздно...

Я села на пол, обхватила голову руками и стала судорожно соображать.

— Когда это случилось?

— Несколько минут назад. Мать ревьмя ревет. Спрашивает, может, в милицию сообщить?

— Никакой милиции! Будет только хуже. Это Глобус! Вот сукин сын! Он не поверил, что Олег мертв!

Я бросилась к телефону и набрала номер Глобуса. Как назло, трубку никто не брал. Хотелось биться в истерике и кричать что было сил. Я не знаю, какое количество раз я набирала номер Глобуса. Наконец услышала его голос и закричала:

— Ты что, совсем ополоумел?! При чем тут ребенок?! Немедленно верни мою дочь, иначе я заявлю в милицию!!!

— Если ты заявишь в милицию, то больше никогда не увидишь ее живой, — как приговор прозвучало в трубке. — Возьми себя в руки и прекрати катать истерику. Твой ребенок в порядке и находится в хороших руках. В течение часа к твоему дому подъедет машина. Сядешь в машину и приедешь ко мне на разговор. Делай то, что я тебе говорю. Если хоть что-то сделаешь не так, забудь о том, что у тебя когда-то была дочь.

В трубке послышались короткие гудки, и я швырнула ее на пол.

— Так это Глобус? — спросила Катерина.

— Конечно, Глобус, кому еще могла понадобиться моя дочь!

— Чего он хочет?

— Если бы я могла знать. В течение часа приедет машина. Глобус хочет со мной поговорить.

— О чем?

— Не знаю. Наверно, об Олеге. Думаю, он так и не поверил в то, что Олег мертв.

Мне показалось, что этот час тянулся целую вечность. Мы с Катькой сидели друг напротив друга и прислушивались. Катерина, как могла, пыталась меня успокоить:

— Ты, главное, за Лерку не переживай. Все обойдется. Глобус не дурак. Он должен поверить в то, что ты ему расскажешь. Если твой курортник мертв, то уже никто не сможет его воскресить. Держи себя в руках и не раскисай.

— Хорошо тебе говорить. Представь, что украли кого-нибудь из твоих детей?!

— Не представляю, — всхлипнула Катька. — Прямо напасть какая-то.

Неожиданно дверь распахнулась, и на пороге появился... Димка. Мы с Катериной уставились на него, словно на привидение. Димка расплылся в своей обворожительной улыбке и деловито прошел в комнату. Поцеловав меня в щеку, он подошел к Катьке и вежливо протянул ей руку:

— Дима.

— Катя, — растерянно сказала моя подруга. — А вы, собственно, кто?

— Я Наташин друг. Я из Москвы.

— Катя, это Димка. Я тебе про него рассказывала. А ты вообще как сюда попал?

— Никак. Не считая того, что я прилетел на самолете, — устало сказал Димка и сбросил свою спортивную сумку. — Ты же сама дала мне адрес своей подруги. Хотя ты и сказала, что в Тулу со своим самоваром не ездят, но я все же решился. Если бы ты не вляпалась в какую-нибудь историю, то это просто была бы не ты. Я тебе нужен, только я, хоть изредка, могу тебя тормозить. Как только я поговорил с тобой по телефону, так сразу понял — надо ехать.

— Господи, ты сумасшедший, — прошептала я.

— Если кто из нас и сумасшедший, так это ты, — обиделся Димка. — Как поживает твой курортник? — спросил он чуть слышно, закуривая.

— Никак.

— Что значит — никак?

— Просто никак, и все. Он сам себя убил.

— Он не выдержал твоего темперамента и твоей необузданной страсти?!

Я не ответила и отвернулась. Катька дала Димке знак, чтобы он не донимал меня лишними разговорами. Послышался звук подъезжающей машины, и я бросилась на улицу. Темно-коричневая иномарка остановилась у самого входа. Открылась задняя дверь, я быстро села в машину и помахала перепуганным Катьке и Димке рукой. Чтобы не видеть сидящего рядом мордоворота, я закрыла глаза.

Мне почему-то вдруг вспомнились мои тяжелые роды. Врачи не верили, что я останусь жива... Несколько суток я лежала в реанимации и понимала, что медленно умираю... Я не могла бороться за жизнь, потому что сил уже не было. Потом вспомнился мой бывший муж, который каждый день бегал ко мне в родильный дом и заваливал меня огромными букетами роз. Он безумно радовался рождению дочери и прослезился, когда взял ее на руки в первый раз. Когда дочь немного подросла, он почему-то перестал радоваться и с каждым днем отдалялся от нее все больше и больше... Я тогда пыталась понять, почему в чужих семьях все совсем по-другому... Со времени нашего развода муж ни разу не поинтересовался дочерью и, наверно, уже давным-давно забыл о ее существовании. Эта обида осталась внутри меня, хотя со временем я научилась воспринимать вещи такими, какие они есть.

Как только мы подъехали к вилле Глобуса, я выскочила из машины. Меня чудовищно трясло, и я шла словно пьяная. Как и в прошлый раз, Глобус сидел у бассейна. Он был без рубашки, в огромных разноцветных шортах. Увидев меня, он расплылся в улыбке и пригласил сесть рядом.

— Давненько не виделись. Угощайся виноградом. В Ялте самый вкусный виноград, попробуй.

— Где моя дочь?! — спросила я, стараясь унять нарастающую дрожь.

— Ты даже не поздоровалась. Это неприлично. — Глобус стал засовывать себе в рот по одной виноградинке.

— Где моя дочь?! — повторила я свой вопрос и поняла, что уже не могу себя сдерживать. Если этот придурок не ответит, я вцеплюсь ему в горло и задушу его к чертовой матери.

— Твоя дочь в надежном месте. Она жива, здорова и прекрасно себя чувствует. Я хочу ответить вопросом на твой вопрос. Где бумаги?

— Какие бумаги?

— Обыкновенные, которые ты должна была мне отдать в указанный срок. Почему ты не изъяла их у комерса?

— Потому что комерс мертв и, по всей вероятности, эти бумаги находятся не в Ялте, а в Бремене.

— Как это мертв?! Кто его убил?

— Он убил сам себя.

Глобус покрутил пальцем у виска и громко рассмеялся.

— Ты мне что тут ахинею несешь?! Я говорю вполне серьезно. Ты больше ничего не могла придумать?!

— Я ничего не придумывала. Олег мертв. Его нет в живых. О каких бумагах может идти речь?! У кого я должна их выкрадывать?! У покойника?!

— Я хочу иметь доказательства его смерти. — Глобус сверлил меня недоверчивым взглядом.

— Какие еще доказательства? — растерялась я.

— Самые обыкновенные. Я хочу знать точно, что в данный момент ты не разыгрываешь спектакль, а говоришь правду. Ты сможешь предоставить мне доказательства смерти комерса?

— Смогу, — неуверенно ответила я.

— Так предоставь, я жду.

— Но для этого нам придется проехать на один дикий пляж...

— Поехали.

Такого поворота я, конечно, не ожидала. Я засунула в рот одну виноградину и утвердительно кивнула головой...

## ГЛАВА 13

Через полчаса я уже сидела в джипе рядом с Глобусом. Меньше всего на свете мне хотелось увидеть мертвого Олега. Я боялась, что мои нервы просто не выдержат. Я вспомнила нашу ночь на медвежьей шкуре, сго заботливые, умелые и сильные руки и почувствовала сумасшедшую боль и чудовищную горечь утраты... У меня было какое-то противоречивое чувство: я слишком мало его знала, и в то же время казалось, что узнала его слишком хорошо. Я никогда не хватала звезд с неба, они сами прыгали в мою ладонь, но, как только мне удавалось поймать какую-нибудь звезду, она тут же исчезала, не оставляя и следа... Я ломала голову и никак не могла понять, почему человек сознательно ушел из жизни.

— Ищи родные стены, — перебил мои мысли Глобус и показал на окна.

— Ищу, — ответила я и прикусила нижнюю губу.

— Ты случайно не была влюблена в этого комерса? — противно захихикал Глобус.

— Случайно была, — резко ответила я.

— Неужели он тебя так за одну ночь закадрил? Ты, по-моему, по нему сохнешь намного больше, чем по Мазаю.

— Мы приехали! Тормози! — закричала я, узнав знакомый пляж.

Джип остановился, и мы вышли из машины. Когда до морского берега осталось несколько метров, я тяжело вздохнула и встала как вкопанная.

— Ты чего? — недоуменно спросил Глобус.

— Мне дальше страшно идти... Я боюсь.

— Кого?

— Олега.

— Разве жмуриков можно бояться?! Я что-то не замечал, что ты пугливая. Давай не придуривайся. У тебя нервы, как у здорового мужика.

Завидев кусты, куда несколько часов назад мне пришлось кинуть гранату, я поняла, что не ошиблась — рядом с кустами виднелся перерытый песок и множество обгоревших веток. У меня закружилась голова и пересохло во рту.

— Он где-то здесь, — едва выговорила я и взяла Глобуса за руку.

Глобус кивнул своим браткам, и они принялись обыскивать пляж. Я стояла, держась за Глобуса, и следила за их действиями. Мне казалось, что вот-вот кто-то из мордоворотов крикнет, что нашел покойника.

— Ты что трясешься как осиновый лист? — спросил Глобус.

— Мне страшно.

— Я же тебе сказал, что жмуриков бояться не надо. Бойся живых, они намного страшнее. Вчера Мазая хоронили.

— А я здесь при чем?

— При том, что он тебя своим телом закрыл, а ты даже на похороны не пришла.

— А в качестве кого я, по-твоему, должна была прийти на похороны, если у него законная жена есть и детей, наверно, полный дом?! Да и каким макаром я могла прийти на похороны, если ты меня на задание отправил?! Жалко, что Мазая в живых нет, а то он бы тебе за такие штучки знаешь что сделал?! Он меня вообще никогда в свои дела не посвящал и про свои передряги никогда не заикался.

Глобус ухмыльнулся и обиженно сказал:

— Ладно, ты давай со словами поосторожнее. Я знаю, что делаю. Перед Мазаем моя совесть чиста. Я же на такое ответственное задание послал не жену его, а любовницу. Улавливаешь разницу?

— Улавливаю. С женами просто живут и исполняют супружеский долг, а любовниц любят.

Вернулись мордовороты, которых Глобус послал на поиски трупа, и растерянно пожали плечами:

— Нет там никакого жмурика, честное слово. Мы весь пляж перерыли. Может, его в море унесло?

— Я оставила его на берегу, — сказала я и в упор посмотрела на Глобуса. — Может, его нашел кто-нибудь из отдыхающих и сообщил в милицию?

— Если бы его нашел кто-нибудь из отдыхающих, то тут бы ментов было немерено. Уже бы весь пляж оцепили, — возразил один из братков. — Мы бы сюда даже близко не смогли подойти. Это дело долгое. Тут бы менты такую суету развели, что до самой ночи хватило. Этот вариант отпадает.

Я растерянно посмотрела на братков, перевела взгляд на Глобуса и сжала кулаки:

— Вы что, мне не верите?! Вы хотите сказать, что я все это придумала?! Мы были на этом пляже. Сначала занимались любовью, а потом из этих кустов раздались выстрелы и Олега ранило в руку.

— Кто стрелял? — перебил мой монолог Глобус.

— Не знаю, — пожала я плечами. — Сначала я думала, что это кто-то из твоих людей, но потом поняла, что ты здесь ни при чем. Тот, кто стрелял, целился не в Олега. Он целился в меня. Он попал в Олега случайно. Мне кажется, что стрелял один и тот же человек: сначала пытался меня убить у «Интуриста», а затем здесь, на этом пляже.

Для пущей убедительности я сняла повязку и продемонстрировала свое огнестрельное ранение. Мордовороты присвистнули.

— Олег сказал, что он нашел выход из создавшегося положения, — продолжала я. — Он подошел к берегу и выстрелил себе прямо в сердце. Я пыталась его спасти, вытащила на берег, но он был уже мертв.

Я замолчала и жалобно посмотрел а на Глобуса.

— Какая-то ты странная баба, — задумчиво проговорил он. — То из-за тебя мужики стреляются, то тебя своей грудью закрывают... И что они в тебе находят?

Я сделала вид, что обиделась:

— А что, по-твоему, во мне нечего найти?

Глобус ушел от ответа и свирепо посмотрел на мордоворотов:

— Вы точно весь пляж перерыли?

— Конечно, без базара, — ответили те в один голос.

— И что?

— Да нет там никакого жмурика. Скорее всего, треплется девка.

От возмущения я даже раскрыла рот:

— Вы что, хотите сказать, что я все это придумала?! Получается, я просто так вас сюда привезла?! Может, я сегодня любимого мужчину потеряла, а вы мне такие вещи прямо в лицо говорите! Олег умер. Просто я не знаю, куда делся труп! Может, его волной в море унесло... Вы же видите, какое неспокойное море. Немедленно возвращайте мою дочь, или я за себя не ручаюсь!

Я почувствовала, как меня зазнобило, слезы вновь полились из глаз.

— Ладно, пошли, — сказал Глобус. Всю дорогу, пока мы шли до машины, я оглядывалась. Мне казалось, что вот сейчас из воды выйдет Олег и протянет мне свои руки. В машине Глобус не переставал говорить по мобильнику и все косился в мою сторону. Я чувствовала, что нахожусь на грани нервного срыва.

— Твоя дочка вообще каши не ест? — неожиданно спросил Глобус, ухватив меня за локоть.

— Что ты сказал? — удивилась я.

— Я спрашиваю, ест ли твоя дочь каши?

— Она их терпеть не может.

— Странно. В таком возрасте ребенку положено есть молочные каши.

— А в чем, собственно, дело?

— Твоему ребенку сварили кашу, а она упирается, не хочет есть. Короче, она у тебя такая маленькая, а уже голодовку объявила. Ладно, приедешь, сама ее чем-нибудь накормишь.

— Я сейчас смогу увидеть свою дочь? — не поверила я своим ушам и посмотрела на Глобуса взглядом, полным надежды.

— Увидишь, — буркнул он.

Когда мы вернулись на виллу, Лера сидела у бассейна и играла с пушистым котенком. Пожилая женщина читала ей какую-то книгу. Увидев дочку живой, я бросилась к ней и прижала к груди:

— Лера, девочка моя! С тобой все в порядке? Тебе ничего плохого не сделали?!

Дочка радостно улыбнулась и вновь занялась котенком.

— Мама, мне здесь так нравится! Тут так здорово. А ты почему так долго не приезжала?

— Мамочка уезжала по делам. Теперь я вернулась и больше никогда от тебя никуда не уеду.

Глобус помахал Лерке рукой:

— Теперь ты убедилась, что с ребенком полный порядок.

Я взяла дочку за руку:

— Лера, нам пора ехать к тете Кате. Поиграла и хватит. Тетя Катя очень за нас переживает и не может дождаться, когда мы к ней приедем.

— Я никуда не хочу! — прокричала дочка и вновь занялась котенком. — Мне здесь нравится.

— Девочка останется здесь, — неожиданно сказал Глобус.

Я постаралась сдержаться:

— Это моя дочь, и мне решать, где она останется. Я забираю дочку и немедленно отсюда уезжаю.

— Ты никуда не поедешь.

— Как это?

— Так это. Ты останешься здесь вместе со своей дочерью.

Я почувствовала, что мне нечем дышать.

— Господи, да что ты такое говоришь?! Я не останусь здесь ни одной минуты.

— Ты будешь здесь до тех пор, пока я не посчитаю нужным тебя отпустить. Как только мы убедимся в смерти комерса, ты берешь свою дочку и проваливаешь ко всем чертям.

— Да что же это за напасть такая! — возмутилась я. — Сначала я должна была доказывать тебе, что незнакома с Мазаем, теперь ты хочешь доказательства того, что Олег мертв. У меня нервы тоже не железные. Я, между прочим, сюда отдыхать приехала.

— Ты останешься в этом доме вместе со своей дочкой, — отрезал Глобус, показывая, что разговор окончен.

Я села рядышком с Леркой и уставилась на бассейн. Я стала бояться воды. Вода напоминала мне об Олеге. Я не могла выкинуть из головы его безжизненное тело и эти жестокие волны...

Ближе к вечеру я немного освоилась и познакомилась почти со всей прислугой. Дочь с удовольствием бегала по всему дому. Как только на улице стало темнеть, я взяла ее за руку и пошла в отведенную нам комнату. Дочка очень быстро уснула, так и не успев покапризничать. Я накрыла ее одеялом, села на кровать и уже в который раз подумала об Олеге. Какая-то глупая и совершенно нелепая смерть! В дверь кто-то постучал. Я вздрогнула и едва слышно спросила:

— Кто там?

— Открой, это Глобус, — донеслось из-за двери.

— Что тебе надо?

— Ничего, просто хотел пригласить тебя на рюмочку коньяку. Ты, наверно, есть хочешь?

— С каких пор ты стал такой заботливый? — спросила я, открыв дверь. — Я думала, ты пришел потому, что нашли тело Олега.

— Пока не нашли. Может, его и в самом деле в море унесло.

— Вот и я про то же. Если его в море унесло, то вообще неизвестно, когда найдут. Я что, по-твоему, теперь тут должна постоянно жить?

— Не торопи события. На днях все решится. Тебе тут плохо? Ешь фрукты, купайся в бассейне, смотри за дочерью и не забивай свою голову лишними проблемами. Так как насчет рюмочки коньяку?

— Ладно, пошли. — Я махнула рукой и вышла из комнаты.

Глобус привел меня в гостиную и плюхнулся в

кресло. Я села рядом на стул и посмотрела на стоящий сервировочный столик. Стол ломился от деликатесов. Один из братков принес бутылку коньяку и наполнил рюмки до самых краев.

— За мой гостеприимный дом, — ехидно усмехнулся Глобус и осушил свою рюмку до дна.

Я отрицательно замотала головой и поставила рюмку на стол:

— Я за это пить не буду.

— Это почему?

— Просто не буду, и все.

— Ты хочешь сказать, что тебе не нравится мой дом?! — Глобус изменился в лице и побагровел от злости. — Может, ты зажралась и соскучилась по скотским условиям?! Если так, я могу их тебе предоставить.

Я не на шутку испугалась и быстро выпила свой коньяк.

— За что пила? — поинтересовался Глобус.

— За твой гостеприимный дом, — отчеканила я и сунула в рот кусок ветчины.

В гостиную вошел один из братков и спросил:

— Глобус, с тобой сегодня разговаривали по поводу нового телохранителя?

— Ну, разговаривали.

— Он приехал и готов приступить к работе.

— Пусть зайдет, — Глобус закурил длинную сигару. — В нашем деле, Наташа, без охраны нельзя. Чтобы хоть какие-то гарантии были, нужно менять телохранителей как можно чаще.

— Зачем же их менять?

— Затем, что у них работа такая. Когда человек долгий срок телохранителем работает, у него все чувства притупляются. А самое главное — это чувство опасности. У них у всех поначалу хорошая реакция, потом она исчезает. Им отдых нужен. Я телохранителей тщательно выбираю. Они у меня все как на подбор. Сегодня старый приятель порекомендовал мне одного парнишку. Говорит, парень толковый, владеет многими видами борьбы, а самое главное — четко и метко стреляет.

— Никогда не видела настоящих телохранителей, — сказала я и почему-то подумала об Олеге.

Дверь распахнулась, и в гостиную вошел... Димка. Я чуть не упала со стула. Димка сделал вид, что мы не знакомы, и подошел к Глобусу.

— Я к вам на работу, — сказал он и преданно посмотрел в глаза Глобусу.

— Кириллыч насчет тебя мне сегодня звонил?

— Насчет меня.

— Я думал, ты немного моложе, — пожал плечами Глобус и осмотрел Димку с ног до головы.

— Старый конь борозды не портит, — весело отчеканил Димка и украдкой посмотрел в мою сторону.

Я сидела ни жива ни мертва, просто боялась

пошевелиться. Я не могла представить Димку в качестве телохранителя. Мне казалось, он совсем не подходит для этой роли.

— Может, вам нужны рекомендации? — спросил Димка и, как самый преданный пес, посмотрел на Глобуса.

— Для меня самые лучшие рекомендации — слова Кириллыча. Считай, что я тебя принял. Будешь жить в моем доме, потому что работа практически круглосуточная. Иди к домработнице. Она отведет тебя в твою комнату. За деньги не переживай. Не обижу.

Димка кивнул и, бросив на меня мимолетный взгляд, вышел из комнаты.

— Ну и как тебе мой новый телохранитель? — спросил Глобус.

— Телохранитель как телохранитель. — Я растерянно пожала плечами.

Мысль, что я теперь не одна, вернула мне надежду на скорейшее возвращение к Катьке. Посидев с Глобусом еще полчаса, я хотела встать и пойти к себе, но Глобус пододвинул мой стул поближе к себе и зловещим тоном спросил:

— Комерс на самом деле застрелился или ты мне тут комедию ломаешь?

— Олег застрелился, — ответила я и отстранилась.

— Из-за чего?

— Не знаю. Наверно, из-за этих бумаг...

— Он что, совсем идиот? Ему же было проще эти бумаги отдать?

— Я тоже об этом думала. Выходит, ему было проще умереть, чем отдать бумаги. Все как-то быстро произошло... Я никак не могла поверить, что он мертв... Катерина говорит, что у него с психикой не в порядке. Не может же человек взять и так вот сознательно уйти из жизни. Возможно, у него еще какие-то обстоятельства были. Все накопилось, он не выдержал и сломался.

Глобус встал, поднял меня со стула, жадно поцеловал и запустил руку мне под платье. Я попыталась вырваться, но он был такой сильный, что мне это не удалось.

— Отпусти! — закричала я.

— Заткнись и не строй из себя недотрогу, — процедил Глобус и надавил так сильно на мою грудь, что я вскрикнула от боли и стала нещадно лупить его по спине.

В комнату влетел Димка и испуганно посмотрел на меня.

— Какого хрена тебе тут надо? — зло выкрикнул разъяренный Глобус.

— Я услышал крики и подумал, что вам угрожает опасность. Я же теперь ваш телохранитель и несу ответственность за вашу жизнь. Вы же сами сказали, что у меня работа круглосуточная, — словно оправдываясь, сказал Димка.

Я поправила платье и отошла от Глобуса как

можно дальше. Глобус сделал гримасу и сплюнул прямо на пол:

— Это ты, конечно, здорово придумал. Реакция у тебя нормальная. Дай бог, чтобы ты всегда так на малейшую опасность реагировал и за мою жизнь переживал. Только когда я трахаю баб, ты мне мешать не должен. Ты мне сейчас такую малину сорвал! Если я с бабой отдыхаю, ты лучше жди меня за дверью. Понятно?

— Понятно.

Глобус кинул на меня не самый доброжелательный взгляд и прошипел:

— Проваливай, а то я тебя сейчас прямо на глазах у телохранителя отымею. Строит из себя недотрогу! Да я таких, как ты, пачками трахал! Щас позвоню, и мне таких с десяток привезут!

— Вот и замечательно, — быстро сказала я и бросилась из комнаты со всех ног.

Забежав в свою комнату, я быстро закрыла дверь на щеколду, села на кровать и постаралась успокоиться. Дочка сладко посапывала и улыбалась во сне. Поцеловав ее в щеку, я провела рукой по ее волосам. Как хорошо, что мы вместе. Я подошла к окну и слегка приоткрыла занавеску. Во дворе никого не было. Мне очень хотелось увидеться с Димкой. Искать его в огромном незнакомом доме было равносильно тому, что найти иголку в стоге сена. Но я все же решилась: слегка приоткрыла дверь и выглянула в коридор.

Было тихо, я надеялась, что все обитатели дома уже спят. Прокравшись на цыпочках до центральной лестницы из мореного канадского дуба, я посмотрела вниз и затаила дыхание. В любой момент я могла наткнуться на Глобуса или на кого-нибудь из его людей. Неожиданно чья-то тяжелая рука легла на мое плечо, а другая зажала мне рот. Я тихонько всхлипнула и почувствовала, что вот-вот потеряю сознание. К счастью, мой страх оказался напрасным — это был Димка, он улыбался своей широкой улыбкой. Как только он убрал свою ладонь, я перевела дыхание и чуть слышно сказала:

— Я искала тебя.

— Показывай, где твоя комната, — прошептал Димка. — Сама понимаешь, опасно тут долго стоять.

Я схватила его за руку и повела в свою комнату. Как только мы закрыли за собой дверь, я бросилась ему на шею и тихонько заплакала. Димка достал из кармана носовой платок:

— А ну-ка заканчивай катать истерики. Прямо смотреть тошно. Если ты будешь реветь, то что тогда остается делать мне? Еще не хватало, чтобы ты дочку разбудила.

Я судорожно кивнула:

— Прости, это просто нервы. За последние дни столько всего произошло... Как здорово, что ты здесь...

— Неужели ты начала меня ценить? — спросил Димка и обнял меня.

— Я всегда тебя ценила. Ты же знаешь, ближе тебя у меня никого нет.

— Верится, но с трудом, — усталым голосом сказал Димка и сел.

Я села рядом и не могла отвести от него глаз.

— А как ты вообще очутился в этом доме? Как ты сюда попал?

— Меня Кириллыч порекомендовал, разве ты не слышала?

— Какой, к черту, Кириллыч, если ты в Ялту только прилетел. Ты же ведь никакими боевыми искусствами не владеешь и телохранителем никогда не работал?!

— Да это все твоя подруга придумала.

— Катька?

— Катька, конечно, а кто ж еще. Она по своим кабацким связям выведала, где находится вилла Глобуса, узнала, что ему требуется телохранитель, и нашла какого-то Кириллыча, который ровно за пятьсот долларов меня сюда порекомендовал.

— И ты решился на такую авантюру?

— Конечно, если дело касается тебя, я всегда готов на любые подвиги! — Было видно, что Димка изо всех сил старается подбодрить и хотя бы немного развеселить меня.

Я взяла его за руку:

— Скажи, тебе не страшно? А если Глобус узнает, что ты мой друг и никогда в охране не работал?

— А как он узнает? У меня на лбу ничего не написано. Мы же здесь долго засиживаться не собираемся. Нам, самое главное, взять Лерку. Ты, давай, бери себя в руки и будь на высоте. Я тебя такой уже давно не видел. Прямо на глазах чахнешь. Страдаешь по своему курортнику?

— Страдаю, — искренне ответила я.

— Главное, что ты осталась жива. Катька сказала, что тебе руку прострелили. А кто?

— Если бы я только могла знать... Я, грешным делом, подумала на Глобуса, но потом поняла, что это не он.

— Ладно, надо думать, как нам отсюда выбраться. — Димка подошел к спящей Лерке и погладил ее по голове. — Ты сиди здесь, а я пойду поброжу по дому, посмотрю, кто охраняет дом.

— Господи, а что ж дальше-то будет? — с тревогой спросила я.

— В смысле?

— Я говорю, что будет после того, как мы отсюда выберемся?

— Ничего не будет. Поедем в Симферополь, сядем в самолет и вернемся в Москву.

— А как же Катька?

— Ты сейчас лучше о себе подумай да о своей

дочери. Пока опасность угрожает именно тебе, а не твоей подруге.

Как только Димка направился к двери, я бросилась следом и крепко в него вцепилась:

— Я пойду с тобой. Не могу я сидеть, ждать у моря погоды.

— Ты что, совсем с ума сошла? А ребенок?

— Дочка крепко спит. Она по ночам не просыпается. Я пойду с тобой. Вдвоем не так страшно. Вдруг с тобой что-нибудь случится...

Димка улыбнулся и погладил меня по щеке.

— С каких это пор ты стала за меня переживать?

— Я всегда за тебя переживала.

— Не замечал... Ладно, нельзя терять времени, я пошел.

Я решительно преградила ему дорогу:

— Один ты никуда не пойдешь!

Чтобы он не успел мне возразить, я быстро открыла дверь и вышла в коридор. Димка попытался затащить меня обратно в комнату, но я резко одернула его.

— Ладно, пошли, чокнутая, — прошептал он и взял меня за руку.

Мы спустились на первый этаж. В гостиной кто-то был: горел яркий свет, слышались мужские голоса. Мы спрятались за мраморную колонну.

— Немедленно иди наверх, — тихо скомандовал Димка и показал в сторону лестницы.

— Сам иди, — огрызнулась я.

Мы прекратили пререкания и стали внимательно слушать. По всей вероятности, в гостиной были двое. Один голос принадлежал Глобусу, а второй я слышала в первый раз. Димкино присутствие действовало на меня успокаивающе. Чувство страха отступило, я напрягла слух.

— Мне кажется, что от этой бабы нужно избавиться, — говорил незнакомый мужчина. — Она слишком много знает, а живые свидетели нам ни к чему. Если она якшалась с Мазаем, значит, была в курсе его дел. Дурак! Повелся на ее тощую задницу и закрыл своим телом. Лучше бы он положил ее на себя, тогда бы все выстрелы достались ей. В деле с комерсом она тоже не пригодилась. Если комерс и в самом деле застрелился, а она свидетельница его смерти... Ума не приложу, какого хрена ему понадобилось стреляться! Как сыр в масле катался! Мы года два не могли его на крючок поймать. Когда он чувствовал опасность, моментально сваливал в Германию, а тут — на тебе, застрелился! Прямо мистика какая-то. Странно все это. Если девка и в самом деле видела, как он стрелялся, то в этом ничего хорошего нет. Сам знаешь, какие бабы болтливые. В его смерти она считает виновным именно тебя. Проболтается кому-нибудь. Короче, девка конкретно засветилась, кончать ее надо.

— Она вообще какая-то странная, — послышался голос Глобуса. — Как бы сюда кого не навела. Вроде безобидная с виду, нормальная, а вообще — мутная. Ее постоянно кто-то хочет убить. Ей у «Интуриста» руку прострелили. Я сам огнестрельное ранение видел.

— Кому она нужна?

— Не скажи... А там — бог ее знает! Я вообще первый раз вижу, чтобы за бабой кто-нибудь охотился.

— А она сама-то что говорит?

— Говорит, будто бы это я на нее своих людей навел. Дура набитая. Если бы я хотел ее убить, то давно бы убил. Может, она просто под дуру косит?! Я сразу понял, что она баба неглупая. Сначала вообще прикидывалась, что до смерти Мазая была знакома с ним ровно три минуты. Ну я ее припугнул и вывел на чистую воду. Оказывается, он ее любовником уже давным-давно был и в Москву к ней постоянно мотался.

— Может, в ресторане хотели убить не Мазая, а эту бабу? — вновь послышался незнакомый голос.

— Вряд ли.

— Но ведь кто-то же за ней охотится! Да и комерса она больно быстро окрутила. Может, он и не стрелялся, может, она его сама шлепнула и в море оттащила, чтобы больше к ней никаких претензий нс было? Кончать ее надо. Нельзя в Москву отпускать. Слишком много знает.

— У нее дочка маленькая, — сказал Глобус.

— Ничего не поделаешь. Не можем же мы ее удочерить. Завтра утром дашь ей старую, конченую иномарку. Скажешь, что она свободна. Пусть берет свою дочку и катится ко всем чертям, а пацанам скажи, чтобы они аккуратно перерезали тормозные колодки... Тогда все будет по-честному. Рядовая автомобильная катастрофа.

Я с ужасом посмотрела на Димку. Он закрыл своей здоровенной ладонью мой рот, чтобы я ненароком не вскрикнула. Я заморгала, давая понять, что я в полном порядке.

— А что делать с ее подругой? — вновь послышался голос Глобуса.

Пусть пока посидит в подвале. Она знает не меньше, чем эта девка. Скажи, никто не видел, как ее посадили в машину и привезли в твой дом?

— Нет. Все сделали чисто.

— Молодцы. В нашем деле не должно быть никакой грязи, — незнакомец захихикал. — С ней вообще нечего церемониться. Сделаем ее пропавшей без вести. Завтра скажешь Кроту, чтобы он ее шлепнул прямо в подвале, сунул в мешок и отвез на кладбище, которое находится под нашей «крышей». Пацаны скинут ее в какую-нибудь братскую могилу. Короче, похоронят с почестями! Мать подаст в розыск, но никто не найдет никаких концов: девчонка работала певичкой в ресторане и допелась до того, что пропала без вести. Нормальная рабочая ситуация.

— У нее двое детей...

— Мы не общество благотворительности! Завтра же разделаемся с этими бабами! Живыми их оставлять нельзя, себе дороже.

Меня так трясло, что Димка вынужден был крепко взять меня за плечи. Мы быстро поднялись наверх.

## ГЛАВА 14

Я села прямо на пол.

— Вот тебе и курортный роман, — задумчиво сказал Димка. — Больше ты без меня хрен на какой курорт поедешь. Будешь теперь каждый год ездить в Тулу со своим самоваром.

— Да какой курорт, если завтра меня убьют! — вздохнула я.

— А я здесь на что?! Ты никогда не берешь меня в расчет! Сейчас все уснут, я обойду дом, узнаю, сколько тут охраны. Ночью ты отсюда выберешься, обещаю.

— Где-то тут в подвале Катька сидит...

— Я найду подвал и найду Катьку.

Я постаралась улыбнуться:

— Димочка, ты, наверно, боевиков насмотрелся. Ты же не Рэмбо. Тебе одному не справиться.

— А я и не один, у меня есть ты. Ты же сумасшедшая. Ты будешь мне помогать. Скажи, ты хоть стрелять-то умеешь?

— Стреляю я не очень, а вот гранаты бросаю метко.

— И откуда у тебя такой опыт?

— Было дело. Жалко, что у меня с собой гранат нет. Какая же я дура, ведь там был целый ящик, а я взяла всего две штуки.

— Какой ящик? Что ты несешь?

— Долго рассказывать. Если бы у меня была граната, я бы ее Глобусу прямо на голову кинула. Я вообще не понимаю, почему его Глобусом прозвали, если у него голова не круглая, а квадратная?!

В коридоре послышались шаги, и мы замолчали. В дверь постучали. Я вцепилась в Димку. Стук повторился. Дочка заворочалась и что-то пробормотала во сне.

— Кто там? — тихо спросила я.

— Наташа, открой. Это Глобус.

— В чем дело? Я уже сплю.

— Открой. Я всего на несколько минут.

— Поговорим завтра утром.

— Если ты сейчас не откроешь, я разнесу эту дверь ко всем чертям!

— У меня ребенок спит.

— Плевать я хотел на твоего ребенка!

Я прислонилась к двери:

— Плюешь ты хорошо. Я уже успела в этом убедиться. Сначала ты наплевал на своего лучшего друга Мазая, затем на Олега, теперь плюешь на меня и на моего ребенка.

— Я в последний раз говорю, чтобы ты открыла дверь, иначе я прострелю замок!

Димка делал мне какие-то знаки и показывал на шкаф. Я все поняла.

— Сейчас я оденусь и открою, — сказала я с раздражением.

Димка весело подмигнул мне, открыл дверь шкафа-купе и помахал мне рукой. Я закрыла за ним дверь, перевела дыхание и впустила Глобуса. Он был пьян. В руке — пистолет.

— Что-нибудь случилось? — заботливо спросила я и закрыла входную дверь на засов.

— Ничего не случилось. Просто захотелось тебя увидеть.

— Понятно. А пистолет зачем?

— Хотел замок прострелить.

— У меня ребенок спит, неужели ты не видишь?

— Почему ты так долго не открывала?

— Потому что я тебя боюсь. Откуда мне знать, что у тебя на уме?!

— Ты хочешь сказать, что тебе знакомо чувство страха? — засмеялся Глобус, достал небольшую фляжку и сделал несколько глотков.

— Сядь рядом, — произнес он приказным тоном.

Я села и постаралась унять охватившую меня дрожь.

— Ты что вся трясешься? Боишься, что ли?

— Боюсь.

— Не бойся, я тебе ничего плохого не сделаю. На, выпей для храбрости.

Глобус протянул мне фляжку, и я с радостью сделала несколько глотков. По телу пробежал приятный жар, и я немного успокоилась. Глобус забрал фляжку и стал жадно пить.

— Ты совсем пьян, — испуганно сказала я.

— Сегодня я имею право расслабиться. Ко мне приехал товарищ. Я не видел его ровно полгода. Довольно крутая фигура.

— Круче, чем ты?

— Круче, — хихикнул Глобус и положил руку мне на колено. — Не каждый день встречаешь таких почетных гостей. Он пошел спать. Из Америки прилетел. Сама знаешь, сколько туда пилить.

— А тебе почему не спится?

— У меня бессонница. Как первый раз тебя увидел, так она у меня и началась, — совершенно пьяным голосом пробормотал Глобус.

— Так выпей снотворное.

— Не помогает. Я решил тебя завтра вместе с твоей пацанкой отпустить. Расходимся миром и забываем, что когда-то друг друга знали в лицо. Ты машину водить умеешь?

— Ну, допустим.

— Так допустим или умеешь? Отвечай точно, не с подругой разговариваешь!

— Умею...

— Вот и замечательно. Завтра утром дам тебе одну из своих машин, уматывай ко всем чертям. Ты, наверно, к своей подруге поедешь? Так вот, оставишь машину у «Интуриста». Чуть позже кто-нибудь из моих людей ее заберет.

Я, наверно, побелела, у меня перехватило дыхание. Я с трудом заставила себя посмотреть Глобусу в глаза:

— Так не проще было бы, чтобы твои люди довезли меня до «Интуриста» и сразу вернули машину на место? Я не хочу брать чужую машину под свою ответственность.

— Там не иномарка, а дрова конченые. Она на хрен никому не нужна.

— Почему ты не хочешь дать мне водителя?

— Завтра у меня все люди заняты. Я что-то не пойму. Я дарю тебе жизнь и не вижу никакой радости. Ты должна мне ноги целовать и прыгать до потолка!

Боясь, что он что-нибудь заподозрит, я улыбнулась и тихо сказала:

— Спасибо тебе. Глобус. Когда я увидела тебя в первый раз, сразу поняла, что ты благородный человек. Спасибо, — повторила я и снова выдавила улыбку.

Глобус оглядел меня с ног до головы:

— Я дарю тебе жизнь, это неоценимый подарок. Как считаешь, ты должна меня отблагодарить?

— Каким образом?

— Давай подумаем вместе. Деньги мне не нужны, их у меня полно, а вот от твоего тела я бы не отказался. Ну что, будешь меня благодарить? Что ты из себя целку-то строишь?! Я же вижу, какие у тебя глаза развратные, так похотью и брызжут. Представь, что я Мазай, если ты по-другому не можешь.

Глобус допил остатки коньяка, поставил пустую фляжку на пол и, тяжело дыша, завалил меня на кровать. Поначалу я пыталась сопротивляться, но вскоре поняла, что из этого ничего не выйдет — слишком разные весовые категории.

— Глобус, подожди, — сказала я. — Я так не могу. Я люблю по-другому. Давай сделаем все по-человечески.

Глобус поднял голову и заинтересованно посмотрел на меня. Я слегка его оттолкнула. Он поддался и сел. Я поправила растрепавшиеся волосы и скинула платье. Глобус, выпучив глаза, жадно уставился на меня.

— Давай по-нормальному. Что ты навалился на меня, как мужлан?! Я люблю, когда в постели инициатива исходит не от мужчины, а от женщины.

Я крепко поцеловала его в губы и, опрокинув его на кровать, села на него сверху.

— Ты хоть штаны мне сними, — захихикал Глобус.

— Успокойся, милый, не торопи события, дойду и до твоих штанов.

Посмотрев на железные прутья кровати, я улыбнулась и сказала довольно томным голосом:

— Давай я тебя привяжу. Ты будешь лежать без движения, а я все буду делать сама. Ты получишь незабываемое удовольствие, это я тебе обещаю.

Глобус подозрительно посмотрел на меня, потом пьяно засмеялся:

— Послушай, а ты и в самом деле ненормальная, теперь я понимаю, почему на тебя так мужики ведутся. Давай я просто подниму руки...

— Я хочу тебя привязать. Иначе я не смогу настроиться и у меня ничего не получится.

Глобус усмехнулся:

— Ну что ж. Давай привязывай. Я в твоем распоряжении.

Я огляделась и увидела на спинке кровати полотенца. Они были довольно длинные и вполне могли сыграть роль наручников.

Я крепко-накрепко привязала руки Глобуса к стальным прутьям кровати. Затем медленно сняла с него штаны, вытащила из них ремень и прислонила его к горлу этого придурка.

— Эй, ты что?! — не на шутку перепугался Глобус.

— Не переживай, милый. Это только начало. Расслабься и получай удовольствие.

— Ты такие шуточки прекращай, а то я сейчас эти прутья повырываю и тебе такое устрою!

Не обращая внимания на его угрозы, я сдавила его горло ремнем. Появился Димка, взял подушку, быстро накрыл ею голову Глобуса и выстрелил в подушку несколько раз.

— Пистолет с глушителем, но с подушкой спокойнее, — каким-то чужим голосом проговорил он.

Я сидела ни жива ни мертва.

— Ты убил его?

— А ты думала, я буду сидеть и наблюдать, как ты занимаешься сексом с этим недоумком?

Из-под подушки показалась кровь. Я в оцепенении уставилась на нее. Димка усмехнулся:

— А тебе не кажется, что ты сидишь на трупе?

Я вскрикнула и вскочила. Димка поднял с пола мое платье и вежливо протянул его мне:

— Ты нисколько не изменилась. Прошло столько лет...

Я прикрыла платьем обнаженную грудь и прошипела:

— Отвернись, чего пялишься?!

— Господи, да что я там не видел, — усмехнулся Димка.

— Так это когда было-то?! Я вот, например, уже в упор не помню, что там у тебя в штанах...

— А зря. Я помню каждую родинку на твоем теле.

Препираться было некогда. Я быстро надела платье. Димка подошел к кровати и поднял подушку: одна пуля угодила Глобусу прямо в лоб, а другая — в глаз. По голове стекала вязкая жижа. Чтобы не закричать, я зажала рот ладонью.

Я села на пол и тихо заскулила:

— Господи, что ж теперь будет-то?

— Ничего не будет. Его нужно спрятать в шкаф. Не дай бог, проснется Лерка и увидит эту картинку. Потом всю жизнь заикаться будет. Помоги мне его перетащить, я один не справлюсь. Хватай за ноги.

— Я не смогу...

— Тоже мне, недотрога нашлась. Как перед мужиками раздеваться, так пожалуйста. Привязывать их — тоже пожалуйста, а как трупы носить, так она не может!

— Меня стошнит, — я жалобно посмотрела на Димку.

— Не стошнит. Несколько минут назад на нем голяком сидела и тебя не тошнило. Бери Глобуса за ноги, нам нельзя терять ни минуты. Не забывай, что в подвале сидит твоя подруга.

Напоминание о Катьке привело меня в чувство. Взяв Глобуса за ноги, я отвернулась, чтобы не видеть его обезображенное лицо.

— Господи, какой же он тяжелый...

Мы засунули Глобуса в шкаф. Димка затолкал туда окровавленную подушку с простыней и его одежду, вынув предварительно из кармана брюк пистолет. Он протянул его мне.

— Что это?

— Пистолет.

— Зачем?

— Возьми на всякий случай. Если ты умеешь метать гранаты, то, значит, сумеешь и стрелять.

Я взяла пистолет. Димка плотно закрыл двери шкафа и подошел к входной двери:

— Оставайся здесь.

Я посмотрела на шкаф глазами, полными ужаса, и замотала головой:

— Ты хочешь, чтобы я осталась в комнате с покойником?

— Мертвый Глобус теперь ничего не сделает.

— Я с тобой!

— Не забывай, что у тебя ребенок. Жди. Я скоро. Не забывай, что у тебя есть пистолет, сиди тихо и держи ухо востро.

— Димка, а ты скоро?

— Я же сказал, скоро.

Как только за Димкой закрылась дверь, я сняла пистолет с предохранителя и села рядом с дочерью. Я страшно боялась, что двери шкафа откроются и передо мной появится Глобус. Я не могла поверить, что он мертв, и прислушивалась к каждому шороху. Дочка сладко посапывала в своей кроватке и даже не подозревала, какие события творятся в этом доме.

Я стала думать о Катьке. Совсем одна сидит в каком-то сыром темном подвале. Такой подруги больше не сыщешь на всем свете. Ей всегда не везло, точно так же, как и мне. Вспомнилась наша адская работа за границей и тот день, когда наши работодатели разрешили нам вернуться на Родину. Мы купили ящик шампанского, приехали к Катьке и ушли в тихое пьянство. Мы мечтали вернуться на Родину и по-человечески выспаться. Там, за границей, мы спали не больше пяти часов в сутки и вкалывали как прокаженные. Мы пели вживую, и никому не было никакого дела до того, что творится с нашими голосами. Для укрепления голосовых связок Катька питалась сырыми яйцами. Я всегда отворачивалась — не могла смотреть на это спокойно. Я помню, как мы прилетели в Шереметьево и не могли наслушаться — кругом говорили по-русски. Мы забежали в какой-то бар, выпили и всласть наплакались. Я почувствовала, как защемило сердце, и постаралась отогнать дурные мысли.

Время тянулось медленно. Я посматривала на часы, и мне казалось, что стрелки застыли на месте. Не выдержав, я встала и выглянула в коридор. В коридоре никого не было. Гробовая тишина и тусклый, малоприятный свет. Закрыв за собой дверь, я спустилась по лестнице, прижимая пистолет к самому сердцу. Прошла через просторный холл и стала соображать — где мог находиться подвал. Неожиданно в самом конце длинного холла замаячила тень, и я, не раздумывая, вытянула руку с пистолетом. К моему счастью, это был не кто иной, как Димка. Он просто побагровел от злости.

— Послушай, ты где должна быть?! — со злостью прошептал он.

— Я не могу там сидеть одна.

— Там ты не одна, ты с ребенком.

— Ребенок спит. Если я там еще хоть пару минут посижу, то потеряю сознание от страха. Мне все время кажется, что из шкафа вылезет Глобус.

— Ты что, совсем ненормальная?! Глобус мертв.

— Я боюсь покойников. Глобус мертв, но ведь его душа жива. Душа умирает только на девятый день.

— Его душа тебе ни хрена не сделает.

— Все равно мне страшно. Ты лучше скажи, ты нашел подвал?

— Нет. Тут такой навороченный дом, прямо лабиринт какой-то.

Он взял меня за руку и повел наверх.

— Слушай меня внимательно, — сказал он, когда мы заперли дверь комнаты. — Дом охраняют два охранника. Вернее, не охраняют, а охраняли.

— Как это — охраняли?

— Я их убрал. Они были в будке у входа.

— Как, обоих?

— Понятное дело, не одного. Сейчас выход свободен. В доме все спят. Ты можешь взять Лерку и бежать.

— Как это?

— Так это. Сейчас ты должна думать о дочери. Я выведу тебя из дома. Дойдешь до трассы и поймаешь попутку. Надо только решить, где ты сможешь укрыться. У Катьки в доме нельзя. Ее мать забрала детей и уехала к родственникам. В крайнем случае снимешь номер в гостинице. В общем, Ялта не такая уж и большая, не потеряемся.

— Димка, господи, что ты такое говоришь?! А как же ты? — Меня всю трясло от страха.

— Я не могу уйти вместе с тобой, я должен найти Катьку. Если ее оставить здесь, то завтра ее могут убить. Если все пройдет нормально, встречаемся завтра на Массандровском пляже в шесть часов вечера. В самом последнем секторе.

Я сползла на пол и заревела. Димка наклонился и поцеловал меня.

— Успокойся, дочку разбудишь. Возьми себя в руки. Сейчас есть возможность уйти, и ты это сделаешь. Все будет хорошо. Я найду Катьку. Контрольную встречу я назначил. Так что встретимся завтра на пляже. Ну, не реви. Завтра все дружно соберемся, возьмем бутылку и отметим это дело!

— Димка, прости, но я не могу, — замотала я головой.

— Что ты не можешь?

— Я не могу оставить тебя и Катьку здесь.

— Не выдумывай. Тебе еще ребенка на ноги ставить. Ребенок дороже...

Я молитвенно сложила руки:

— Димочка, миленький, а давай сейчас пойдем вместе и найдем этот гребаный подвал. Освободим Катьку, и все вместе отсюда выйдем...

— Это очень опасно. Я не могу тобой рисковать. В охранной будке два трупа. Убит Глобус. Если кто-нибудь проснется, нам не спастись. Никому. Ты хоть это можешь понять?!

Я бросилась Димке на шею и заплакала. Он прижал меня к себе и поправил упавшую прядь волос.

— Ну прекрати реветь, дуреха. Ты сейчас должна думать только о своей дочери. Я тебе обещаю, все будет нормально.

— Димка, скажи, а ты и в самом деле так сильно меня любишь? Ведь ты можешь уйти и не рисковать жизнью.

Димка улыбнулся:

— Я люблю тебя. Неужели так трудно понять за столько лет? Мы с тобой потом поговорим об этом. Давай, бери Лерку, а то время идет, — он посмотрел на часы. — Мне еще нужно найти Катьку. Сунь пистолет в сумку. На улице глубокая ночь, а тебе как-никак придется ловить попутку.

Димка поднял Лерку с постели и слегка побаюкал:

— Пусть спит, а то проснется и расплачется, а нам надо выйти незамеченными. Открывай дверь.

Я повесила сумку на плечо и быстро открыла дверь. Мы прошли по длинному коридору и тихонько спустились по лестнице. Оказавшись на улице, я стала жадно ловить ртом воздух, мне было явно не по себе. Когда мы проходили мимо сторожевой будки, я судорожно сжала кулаки. Мы вышли на пустую проселочную дорогу. Дима шел впереди и бережно нес Лерку.

— Дойдем до трассы, поймаю тебе машину. По крайней мере теперь я за тебя спокоен.

— Сейчас и машин-то, наверно, нет, — голосом, близким к истерике, сказала я.

— Такого не может быть. Кто-нибудь да проедет.

Димка оказался прав. Не прошло и пяти минут, как на трассе показался огонек такси. Я стала всхлипывать.

— Успокойся немедленно, — скомандовал Димка. — Я думал, ты намного сильнее, а ты, оказывается, самая настоящая размазня.

— Никакая я не размазня, — всхлипнула я и побежала к остановившемуся такси.

Сев на заднее сиденье, я положила сумку рядом с собой и глубоко вздохнула. Димка передал мне спящую Лерку.

— У тебя деньги есть? — спросил он заботливо.

Я кивнула головой и прошептала:

— Димка, поцелуй меня, пожалуйста.

Димка наклонился и поцеловал меня в губы.

— Будь умницей. Приедешь в гостиницу, сразу ложись спать. Тебе необходимо хорошо выспаться. Не забудь про контрольную встречу. Завтра в шесть часов на Массандровском пляже в последнем секторе.

— Дим, а если вы с Катькой не придете?

— Придем, — постарался улыбнуться Димка, но улыбка получилась какой-то вымученной и совсем неестественной.

Он захлопнул дверцу, и машина тронулась. Мои слезинки капали прямо на спящую Лерку. Я оглянулась. Одинокий Димкин силуэт быстро исчезал в кромешной темноте.

## ГЛАВА 15

— Куда едем? — поинтересовался таксист и посмотрел на меня в зеркало.

— Я же сказала, в Ялту.

— Я понимаю, но ведь Ялта большая. Куда именно?

— Не такая уж она и большая. Мне нужно в какую-нибудь гостиницу.

— Девушка, а вы на часы смотрели? Три часа ночи. Все гостиницы уже закрыты.

— Как это закрыты?! Что, ночью туда вообще никого не селят?!

— Селят, только сейчас август месяц. В гостиницах нет мест. Сейчас в Ялте везде ажиотаж. Мне, конечно, все равно, ведь вы мне платите. Если у вас есть деньги, я могу вас возить от одной гостиницы к другой. Я вчера днем возил одну женщину. Она тоже хотела поселиться, и безрезультатно...

— А если дать взятку?

— Тут без взятки и при свободных местах не устроишься.

— Тогда отвези меня в какой-нибудь пансионат или санаторий, — устало сказала я.

— С санаториями и пансионатами сейчас вообще напряженка, — пробурчал таксист и закурил вонючую сигарету. — Вы к нам откуда приехали?

— Из Москвы.

— А почему не захотели взять путевку? У вас же там путевок навалом. Выбрали бы себе какой-нибудь санаторий поприличнее, и не было бы никаких проблем. Сейчас с местами везде трудно. Есть еще частные пансионаты, но там вообще дикая стоимость. Сорок долларов сутки.

— Мне все равно, — отрезала я.

— Так и за сорок долларов черта с два устроишься, — никак не унимался таксист.

— А где ж тогда в вашей забытой богом Ялте можно на ночь устроиться?! — не на шутку разозлилась я. — Что, отдыхающие у моря на лежаках ночуют?!

— Можно устроиться в частном секторе. Это вообще без проблем. Частного сектора тут полно. Почти в каждом доме сдается комната. У нас в Ялте народ бедный. Живем только за счет курортников. Бабульки селятся в один дом, спят бок о бок и сдают свое жилье отдыхающим. Правда, половина жилья без удобств. Ни воды, ни туалета. Вернее: все это есть, но только на улице. Такое жилье тоже недешево. Десять долларов сутки. У бабулек пенсия мизерная, им деваться некуда. Что они за курортный сезон заработают, тем всю зиму и кормятся. Это вы со своей Москвы приезжаете с толстыми кошельками. Вам разницы нет. Десятью долларами меньше, десятью долларами больше, а мы каждую копейку ценить умеем.

Мне порядком поднадоело философствование таксиста, и я решила прекратить этот бестолковый разговор:

— Хорошо. Везите меня в частный сектор к своим бабулькам, которые сдают свои скотские хоромы за десять долларов в сутки.

Таксист выкинул сигарету и недовольно обернулся:

— Что ж вы тогда все сюда едете, ежели у нас жилье скотское?!

— Да никто уже сюда не ездит. Тут москвичей раз-два и обчелся. Ваши в основном и приезжают. Со своих три шкуры дерете.

— Конечно, привыкли в своей Москве жировать... А у меня, между прочим, в Москве родственники, и я за них ой как переживаю, — таксисту явно хотелось поговорить, и он совершенно не собирался замолкать. — У вас там взрывы, диверсии. Мы это все по телевизору смотрим и очень сильно переживаем. Разделили нас эти правители проклятые, поэтому и отдыхающих намного меньше стало.

— Я вообще никого не разделяла, — мрачно сказала я, уставившись таксисту в затылок. — Я приехала сюда просто отдохнуть и одурела от ваших сумасшедших цен. Если у вас и дальше будут так сильно цены зашкаливать, то отдыхающих вообще не будет. Больно дорогой отдых получается, а самое главное, что при таких ценах вообще отсутствует хоть какой-нибудь комфорт.

Наконец мы подъехали к какому-то частному дому. Таксист заглушил мотор и со словами: «Тут у меня знакомая бабка живет» — вышел из машины. Он громко забарабанил в калитку, пытаясь разбудить знакомую бабку. Вскоре к калитке подошла сонная бабулька и принялась что-то объяснять. Таксист вернулся в машину и растерянно развел руками:

— Полный дом у нее. Нет ни одной свободной койки. Она может за десять долларов только матрас в коридоре постелить.

— Я не собака, чтобы в коридоре спать, — возмутилась я.

Таксист вновь закурил свою вонючую сигарету и растерянно произнес:

— Ну и что ты мне прикажешь делать? Сейчас четыре часа ночи. Все уже спят. Не можем же мы к каждому дому подъезжать и людей на уши ставить. Как ты вообще решилась ехать в Ялту ночью, если у тебя даже жилья нет?.. Завтра с утра можешь без проблем снять себе комнату. Тут обычно таблички вывешивают, если сдается комната. Сейчас я ничем не могу тебе помочь. Правда, есть один вариант...

— Какой? Вы хотите отвезти меня к себе домой? Что ж, поехали. Я дам вам десять долларов.

— Я бы и рад, да только мне некуда. Жена столько отдыхающих пустила, что мы с ней уже вторую неделю на кухне спим. В коридоре ты спать не хочешь.

— Не хочу.

— Тогда оставайся в машине до самого утра. Заплати мне, как будто я тебя возил и бензин расходовал. Сама поспишь, да и я голову на руль положу и немного покемарю.

— Ну уж нет, — сказала я с отчаянием. И вдруг я вспомнила! — А канатная дорога тут круглосуточная?

— Круглосуточная.

— Тогда вези к канатной дороге.

— Ты там что, спать собралась? — опешил таксист.

— Не спать, а кататься. Ребенок будет спать, а я буду кататься до самого утра. Ветер теплый, мне будет намного приятнее разглядывать Ялту с высоты птичьего полета, чем спать на матрасе в каком-нибудь обшарпанном коридоре. Только останови у киоска, возьми бутылку красного сухого вина и одноразовый стакан. У меня нервы на пределе. Мне сейчас не до сна.

— Хорошо, — пожал плечами таксист и остановился у ближайшего киоска. — Какое вино-то взять?

— Красное сухое.

— А может, еще какую-нибудь шоколадку прихватить?

— Я не ем сладкого. Ну, прихвати на всякий случай. Вдруг дочка проснется.

Проснулась Лерка только тогда, когда мы подъехали к канатной дороге и я, повесив сумку с пистолетом на шею и прихватив пакет с бутылкой вина, умудрилась вынести спящую Лерку из машины. Она посмотрела своими большими глазами, мгновенно сползла с моих рук и удивленно спросила:

— Мамочка, мы где?

— Сейчас мы будем кататься на канатной дороге, — сказала я. — Если хочешь, можешь поспать у меня на руках.

— Я не хочу спать. Я хочу кататься! — радостно прокричала дочка.

— А ты не боишься?

— Нет!

Я взяла дочку за руку и испуганно вздрогнула, услышав голос таксиста:

— Эй, девушка, а может, я все-таки отвезу вас к себе домой и вы поспите за десять долларов в коридоре?! Зачем ребенка мучить?

Я обернулась, выдавила улыбку и покачала головой:

— Нет, спасибо. Тут много отдыхающих. Ищите кого-нибудь другого.

— Я просто хотел как лучше, — недовольно пробурчал таксист и надавил на газ.

Я заплатила несколько гривен и, приподняв дочку, усадила ее в подвесную кабинку, села сама, и мы стали подниматься все выше и выше. Лерка радостно смеялась и оглядывалась по сторонам.

— Ты только не вставай со своего места, а то у тебя может закружиться голова, — предупредила я.

— Мамочка, а мы поднимемся так же высоко, как летают птицы?

Мы поднимемся выше птиц. Мы сидели и любовались ночными огнями сказочно красивой Ялты. Большинство кабинок были пустыми, и только изредка мимо нас проезжали самые стойкие отдыхающие, которые боролись со сном и откровенно зевали. Я стала доставать Лерке шоколадку и почувствовала, что у меня дрожат руки. Откупорив бутылку, налила себе полный стакан. Неожиданно я подумала о Димке и о том, что все эти годы он всегда был рядом со мной... Он был рядом и никогда ничего не требовал взамен... Он терпел все мои дурацкие выходки и никогда ни в чем меня не упрекнул... Он настоящий друг, и я уже привыкла к тому, что он всегда рядом, всегда под рукой... Я вспомнила тот жаркий июньский день, когда шла по одной из московских улочек в ярко-красной шляпе с большими полями. Господи, сколько же лет назад это было... Все улицы были усыпаны белоснежным тополиным пухом, похожим на искрящийся снег. Пух щекотал нос и мешал нормально дышать, у меня слезились глаза. Хотелось только одного: чтобы побыстрее закончился июнь и на улицах не стало пуха. Неожиданно задул сильный, горячий июньский ветер. С моей головы сорвало шляпу и унесло прямо на дорогу. Я стояла в оцепенении. Казалось, что еще несколько секунд, и моя красивая шляпа окажется под колесами машины. Рядом со мной остановилась темно-синяя иномарка. Из нее вышел молодой человек, поднял мою шляпу и бережно надел ее мне на голову. Этим молодым человеком был Димка. Он отвез меня домой. Это была наша первая встреча. А затем — наша первая ночь. Я была на седьмом небе от счастья и уже через месяц перебралась к нему. Мы зажили семьей. Димка бежал с работы домой, заваливал меня цветами и носил на руках. Он уговаривал меня родить ребенка, но я отнекивалась. А потом... Я так и не смогла понять, что же произошло потом... Я стала как-то отдаляться и перестала радоваться его цветам... В постели тупо смотрела в потолок и просто умирала от скуки. Димка нервничал и жутко переживал. Я чувствовала, что мне все опостылело. Я не смогла сказать ему об этом в глаза, у меня просто не повернулся язык. Я сделала все тайком, пока он был на работе. Я просто собрала свои вещи и, не оставив даже записки, отдала ключ соседям. Я вычеркнула из своей головы его адрес и телефон. Просто пропала. Поменяла квартиру и стала упиваться собственной ничем не связанной свободой. Наверно, самым страшным было то, что я даже ни разу о нем не вспомнила и не пожалела о случившемся. Я сожгла все мосты, не оставив и намека на возобновление отношений. Нашим общим друзьям я строго-настрого запретила давать мои координаты и, когда слышала о том, что Димка продолжает меня искать, не испытывала ничего, кроме раздражения. Прошло несколько лет. Я успела выйти замуж, родить дочку и окунуться с головой в семейный омут. Я хорошо помню тот день, когда муж уехал на работу, и в дверь кто-то позвонил. Я открыла и не поверила своим глазам. Передо мной стоял все тот же Димка, только с седыми висками и глубокими морщинами на лице. Не знаю почему, но именно в тот момент я по-настоящему ему обрадовалась. Мы пили мартини и смотрели друг другу в глаза. Димка так и не женился и, как я поняла, совсем не держал на меня зла. Он воспринимал меня такой, какая я есть, и просто радовался тому, что вновь оказался рядом... Один раз он попытался выяснить, что же произошло тогда, много лет назад, но я не смогла ответить на этот вопрос. Мы больше никогда не лежали в одной постели и никогда не занимались любовью. Мы стали друзьями. Мне всегда было приятно от того, что в моей жизни есть Димка, который всегда поймет, поможет и не предаст в трудную минуту. Ничего не изменилось и тогда, когда я развелась с мужем.

Я посмотрела на полный стакан и заплакала.

— Мамочка, ты плачешь? — растерянно спросила дочка своим милым, детским голоском.

— Нет, просто мне что-то попало в глаз, — соврала я и достала платок.

— Не плачь. Ты только посмотри, как тут здорово! Рядом с нами летают птички!

— Ночью птички спят, — сквозь слезы улыбнулась я. — Если и ты хочешь спать, ложись ко мне на ручки.

Лерка отказалась и продолжала с восторгом оглядываться по сторонам. Чтобы унять слезы, я выпила вино. Вдруг, как в ту мою ночь с Олегом, кабинка остановилась и зависла в воздухе.

— Мамочка, а почему наша кабинка встала? — перепугалась Лерка.

— Не бойся, иногда такое бывает. Скоро поедем, — успокоила я ее.

От выпитого вина я почувствовала себя значительно лучше и вдыхала полной грудью морской воздух. Я посмотрела на остановившуюся неподалеку от нас кабинку, которая должна была двигаться в противоположную сторону, и потеряла дар речи. В противоположной кабинке сидел... Олег и пристально смотрел на меня. На минуту мне показалось, что у меня помутился рассудок. Его лицо освещалось огнями кабинки, и я поняла, что не могла ошибиться. Мы не сводили друг с друга глаз.

— Мамочка, смотри, это же дядя Олег! Помнишь, мы загорали с ним на пляже, а потом катались на яхте? — радостно закричала дочка и замахала курортнику рукой. — Дядя Олег, здравствуй! Ты давно катаешься? Тебе нравится? Перебирайся к нам!

В этот момент кабинки тронулись, и мы стали отдаляться друг от друга все больше и больше. Курортник встал и молча наблюдал за тем, как удаляется наша кабинка. Я приподнялась и поправила растрепанные волосы. Буквально через несколько секунд кабинка с курортником пропала из моего поля зрения, исчезла в темноте. Я села, почувствовав, что от сумасшедшего головокружения могу упасть в обморок.

— Мамочка, а почему дядя Олег не захотел кататься вместе с нами?

— Не знаю, — заикаясь, ответила я.

— Я хотела угостить его шоколадкой, но он так быстро уехал.

— Мне кажется, дядя Олег не любит шоколад.

— Любит. Я видела, как на яхте он съел целую плитку.

— Дядя Олег любит черную икру, — безжизненным голосом сказала я и положила руку на сердце, которое бешено колотилось.

— Мамочка, ты что? Тебе плохо?

— Лера, мне кажется, что твоя мамочка сошла с ума, — растерянно сказала я.

— Это потому, что ты дядю Олега увидела?

— Именно поэтому.

— Ты его любишь? — Лерка сощурила глаза и посмотрела на меня хитрым взглядом.

— Нет. Я никого не люблю, кроме тебя.

— А что такое любовь? — никак не унималась дочка.

— Любовь это когда двое друг друга любят. Вот у нас с тобой любовь, потому что нас двое, и мы друг друга любим. Нам с тобой вдвоем очень хорошо, и нам никто больше не нужен.

— А почему нас не любит наш папа? Почему он даже ни разу нам не позвонил?

— Не знаю. Наверно, наш папа любит когонибудь другого. И вообще, я не хочу говорить о папе.

— Ты такая грустная потому, что поссорилась с дядей Олегом?

— Я с ним не ссорилась. Я думала, что дядя Олег умер.

— Как это умер? Когда человек умирает, его закапывают в землю. Дядя Олег сидел в кабинке и катался на канатной дороге. Значит, его никто никуда не закапывал.

Я взяла дочку за руку и с надеждой посмотрела на нее:

— Лера, доченька, ты уверена, что это был дядя Олег? Нам с тобой не показалось? Быть может, это был совершенно другой дядя, который очень сильно на него похож?

— Это был дядя Олег, ты что, совсем ослепла, — уверенно сказала дочка и стала напевать что-то себе под нос.

Я не заметила, как мы доехали до остановки.

— Женщина, вы почему не выходите? — недовольно окликнула меня кондукторша. — Вы что, на второй круг собрались?! Так покупайте билет! Из-за вас пришлось все кабинки остановить.

— Они у вас и так постоянно останавливаются, — огрызнулась я и, взяв дочку на руки, вышла из кабины.

— Так вот из-за таких, как вы, и останавливаются! — кричала вахтерша. — Один уснет, другой напьется так, что его с милицией приходится из кабины вынимать!

— Следить надо лучше за канатной дорогой, тогда и толку будет больше, — пробурчала я.

Вахтерша запыхтела от злости и заголосила изо всех сил:

— Понаприезжали в нашу Ялту черт знает откуда и еще свои порядки навязывают! Сразу видно, что из Москвы приехала! Я вас, московских, сразу чувствую! Что ж тебе не сидится в своей Москве, а к нам приперлась! Зажрались вы там в своей Москве! Шибко вы там все умные! А ты попробуй здесь пожить, я на тебя посмотрю! Посиди без света и воды!

— Я свое без света и воды уже отсидела, — сказала я. — Я в Приморском крае родилась. Там люди всю жизнь без света и воды сидят, только они почему-то намного гостеприимнее и человечнее, чем вы.

— Это потому, что туда отдыхающие не ездят, а сюда косяком прут! Где ж на вас на всех гостеприимства-то наберешься?!

— Да пошла ты! — разозлилась я, взяла Лерку за руку и почти побежала.

Мы остановились около какого-то киоска, я оглянулась и почувствовала, что теряю сознание: в нескольких шагах от меня стоял мой придуманный курортник и улыбался грустной, страдальческой улыбкой.

— Привет, — чуть слышно сказал он и подошел к нам.

Земля уходила из-под моих ног, я теряла ощущение реальности. Ситуацию спасла моя дочка. Она взяла курортника за руку и радостно защебетала:

— Дядя Олег, а мы тебя видели! Почему ты не захотел перебраться к нам в кабину?!

— Я немного растерялся, увидев твою маму, — чуть слышно сказал курортник.

— С возвращением с того света, — проговорила я, собрав последние силы. — Ты где побывал — в аду или в раю?

— Наверно, в аду, самоубийцы никогда не попадают в рай.

— Ну и как там, в аду? Говорят, там жутко страшно. Правда, я там ни разу не была, но это ничего, я обязательно наверстаю. Когда-нибудь все там будем.

Я взглянула на Олега и почувствовала невыносимую боль в сердце. Я и сама не знала, что это за боль. Быть может, это была боль от сумасшедшего страха, а может, и от зверского, ни с чем не сравнимого отчаяния. Эта боль нарастала с каждой секундой, и я поняла, что еще немного, и она разорвет мою грудь. Неожиданно мне показалось, что у меня остановилось дыхание, и я удивилась, когда все же смогла вздохнуть. На меня навалилась чудовищная усталость. Будто несколько дней я бежала по одному и тому же кругу, а теперь резко остановилась, потому что у меня просто больше не было сил. Жалела ли я о том, что увидела Олега живым и невредимым, не знаю. Мне показалось, что больше я вообще не могу о чем-либо жалеть. Я посмотрела на идущую мимо счастливую влюбленную пару и грустно улыбнулась. Я поняла, что вся моя жизнь рухнула в какую-то черную бездну, не оставив мне ни единого светлого дня. Я вдруг подумала, что эта влюбленная пара таит в себе какую-то тайну, которую я, к своему сожалению, так и не смогу никогда разгадать. Я тысячу раз ломала голову именно над этой тайной, пытаясь понять, почему окружающие меня люди живут совсем не так, как я, и постоянно приходила к выводу, что как такового счастья нет, а есть лишь его иллюзия. Все люди завтракают, смотрят телевизор, слушают радио, читают газеты, клянутся друг другу в любви, отводят детей в детский сад, но все они обманывают сами себя и играют в такую придуманную игру, как счастье... Если бы кто-нибудь раньше сказал мне, что обыкновенный курортный отдых станет для меня самым настоящим мучением, я бы просто рассмеялась ему в лицо.

Увидев Олега живым, я не почувствовала ничего, кроме боли. Я знала, что выгляжу просто отвратительно. У меня потекла тушь, растрепались волосы, но я даже не пыталась привести себя в порядок. Я была слишком разбита и слишком ошеломлена. Мне было очень горько и в то же время я чувствовала какое-то равнодушие. Наверно, это была реакция на боль, которую я пережила по вине Олега. Мне захотелось вернуться в Москву и поскорее забыть этот кошмар.

В этой жизни на мою долю выпало слишком много испытаний, и я не хочу новых.

Работая за границей, я научилась выживать в условиях безжалостной конкуренции, добиваться победы, у меня сформировался львиный характер. Я знала, чтобы выжить, нужны железное здоровье, высокая работоспособность, безупречная внешность, терпение и самодисциплина. Я никогда не опускала голову. Я привыкла ощущать свою власть над мужчинами, мне нравились их нерешительность, пугливость.

С Олегом все было по-другому. И он меня подставил... Так жестоко, так чудовищно глупо. Мне захотелось взять его за шкирку и хорошенько встряхнуть.

— Наташа, я живой, — прервал мое молчание Олег и попытался притянуть меня к себе. — Я все тебе объясню.

— Не нужно ничего объяснять. И так все понятно, без слов, — равнодушно сказала я и, взяв дочку за руку, пошла прочь.

## ГЛАВА 16

Начало светать. Словно во сне я шла к морю. Олег шел сзади и молчал. Дойдя до пляжа, я села на лежак и обхватила колени руками. Дочка у самой кромки воды стала строить город из песка. Олег засучил рукава и принял в этом строительстве самое активное участие. Он болтал с Леркой о каких-то морских русалках и изредка поглядывал в мою сторону. «Господи, какая же я была дура, какая я была дура... — стучало у меня в висках. — Почему я ничего не заметила, почему я поверила, что он мертв? Но ведь я видела, как он выстрелил себе в грудь... Я видела кровь. Я тащила его из воды... Я отбирала его у больших и безжалостных волн...»

Олег подошел к моему лежаку и сел рядом. Он заметно нервничал и боялся встретиться со мной взглядом. Достав из кармана пачку сигарет, он закурил.

— Наташа, прости меня за то, что я не погиб, — сказал он, не поднимая головы.

— Это все, что ты можешь сказать после того, что случилось?

— Тебе совсем неприятно видеть меня живым?

— Мне это безразлично.

— Я думал, что ты в Москве и уже успела позабыть о нашем курортном романе. Но я бы все равно тебя нашел и все объяснил.

— До Москвы мне еще далеко.

— Понимаешь, у меня не было другого выхода. Я верил, что если Глобус посчитает меня убитым, то к тебе больше не будет никаких претензий. Я надеялся, что найду тебя, где бы ты ни была, и смогу все объяснить.

Все смешалось в моей голове. Я судорожно сжала руки:

— Олег, но я видела, как ты выстрелил себе в грудь. Я видела кровь. Ты был под водой черт знает сколько времени... Неужели можно было все это инсценировать?!

— Раньше я много занимался подводным плаванием. Я могу пробыть под водой много дольше, чем любой другой человек. Я хотел как лучше...

— А как же кровь?

— Я купил красную краску для машин... Она была у меня в кармане.

— Здорово! — нервно усмехнулась я. — Да тебе бы артистом быть! Блестящая игра! Прямо дух захватывает!

Олег ударил кулаком по лежаку:

— Скажи, а что, по-твоему, мне оставалось делать?! Ведь ты вообще без тормозов! С тобой ведь даже по-нормальному договориться нельзя! Сначала ты прицепилась ко мне с этими бумагами, потом стала пугать заявлением об изнасиловании! Ты вообще не думала обо мне! Ты же просто страшно упертая, ничего и никого не слышишь, кроме себя! Я нашел единственный выход — инсценировать свою смерть.

— А твое простреленное плечо — тоже инсценировка?

— Нет. Плечо мне прострелили по-настоящему.

Олег попытался меня обнять, но я резко его оттолкнула и сквозь зубы произнесла:

— Я не обнимаюсь с покойниками. У тебя слишком холодные руки.

Курортник заметно побледнел и стал кричать, размахивая руками:

— Ну почему ты такая упертая! Поэтому тебе в личной жизни и не везет! От тебя любой мужик убежит! Ты же ненормальная!

— А кто сказал, что мне не везет в личной жизни? — усмехнулась я. — Мне везет. Мне всегда везло. Это не везло мужчинам, которые находились рядом со мной. И вообще, моя личная жизнь не имеет к тебе никакого отношения. Подумай лучше о своей. У тебя она совсем не устроена.

— Я же люблю тебя, дура ты ненормальная. Неужели ты этого не поняла? — совсем тихо сказал Олег. — Помнишь, что ты мне тогда говорила?

— Когда?

— Когда ты думала, что я мертв.

— Не помню.

— Я напомню. Ты говорила, что очень меня любишь, что хочешь выйти за меня замуж, переехать в Бремен, ждать меня с работы и варить вкусные щи.

Я усмехнулась и отвесила Олегу звонкую пощечину. Олег потер щеку и сказал дрожащим голосом:

— Если хочешь, ударь меня еще.

— Хочу! — крикнула я и ударила курортника еще раз.

Лерка оторвалась от своей игры, подняла голову и смотрела на меня удивленными глазами.

— Мамочка, а ты зачем дядю Олега бьешь?

— Это мы просто так играем, — улыбнулась я и подмигнула дочке.

— Драться некрасиво. Я один раз в детском саду ударила мальчика. Воспитательница очень сильно меня ругала.

— Я больше не буду, — произнесла я голосом

прилежной ученицы и, повернувшись к Олегу, прошипела:

— Если бы ты только знал, как я тебя ненавижу!

— Ничего, говорят, что от ненависти до любви один шаг. Так что там у нас со щами?

— Со щами у нас глухо. Я слишком часто их варила и слишком прилежно ждала с работы, а затем поняла, что это никому не нужно. Так что, дорогой, ищи какую-нибудь другую дуру. Меня дурили предостаточно, чувствовать себя дурой еще раз мне совсем не хочется.

Повисла долгая пауза. Мы оба смотрели на волны и наблюдали за тем, как играет моя дочь. Олег первым нарушил молчание:

— Когда я вернулся с пляжа, я не находил себе места. Я поехал в ресторан, но почему-то в тот вечер Катерина не пела. Тогда я поехал к ней домой, но там никого не было... Я думал о тебе каждую минуту и ничего не мог с собой поделать. Я решил, что вы взяли детей и просто уехали в Москву. Было так тоскливо, что я отправился на канатную дорогу. Я вспоминал наши встречи и почти потерял рассудок, когда увидел тебя в соседней кабинке...

— Если кто и потерял рассудок, так это я. Я не каждую ночь наблюдаю за тем, как на канатной дороге катаются трупы.

— Я живой, — с отчаянием сказал Олег. —

Между прочим, у меня есть билет в Москву. На сегодняшнее число.

— Вот и лети. Кто тебя держит.

— Какого черта я туда полечу, если ты здесь?

— Посмотришь столицу нашей Родины, поищешь дуру, которая будет варить тебе еду.

У Олега лопнуло терпение. Он встал.

— Пошли! — решительно сказал он.

— Куда?

— Ко мне домой.

— Зачем?

— Я отдам тебе эти проклятые бумаги! Может, тогда ты простишь меня и успокоишься?! Я теперь понимаю, что тебе на меня наплевать, что ты просто поразвлеклась со мной, и все! Забирай эти бумаги и неси их Глобусу! Я справлюсь и выправлю ситуацию!

— Твои бумаги больше никому не нужны, — сказала я. — Можешь проваливать в свою Германию и делать все, чтобы процветал твой бизнес. Глобус мертв, он не инсценировал свою смерть, а умер на самом деле. Покойникам не нужны бумаги, им вообще ничего не нужно.

— Глобус мертв?

— Представь себе.

— Ты в этом уверена?

— Вполне.

— Надеюсь, ты не кинула в него гранату?

— Нет. У меня нет гранат, — вздохнула я и

рассказала все, что произошло в доме Глобуса. Олег внимательно слушал.

— Господи, а ведь я мог тебя потерять, — прошептал он, когда я закончила свой рассказ.

— Ты и так меня потерял. Возможно, Катьки с Димкой уже нет в живых... Она была просто замечательной подругой.

— Почему ты говоришь «была»? Она есть, и не смей хоронить ее раньше времени!

Я будто не слышала его слов, продолжала говорить:

— Мы несколько лет проработали за границей, побывали во многих передрягах. Мы попали в лапы русской мафии, которая прочно обосновалась в чужой стране и чувствовала себя довольно комфортно. Кроме того, что мы пели в ресторане, мы подрабатывали фотомоделями, если, конечно, это так можно назвать. Мы хотели сколотить денег, чтобы вернуться на Родину и зажить по-человечески. Мы снимались обнаженными. Платили нам вполне прилично.

— Ты снималась обнаженной? — спросил Олег и закурил.

— Я зарабатывала на жизнь. Я любила объектив, любила менять позы. И любила свое обнаженное тело. Я любила сам съемочный процесс, вентилятор с большими лопастями, который создавал иллюзию ветра и раздувал мои волосы. Я любила поднимать голые руки, закидывать их назад и смотреть в камеру. У меня было множество снимков. Они остались там, у фотографов, которые зарабатывают на эротической фотографии. Я смогла расторгнуть контракт, помочь Катьке и вернуться на Родину.

Я замолчала. В глазах стояли слезы, а руки предательски дрожали. Встреча с Олегом не прошла даром. Я увидела его живым и снова чувствовала волнение. Я ненавидела себя за то, что врала сама себе. Я говорила Олегу, будто ненавижу его, а чувствовала обратное. Я плакала, слизывала слезы с губ и чувствовала себя совсем маленькой девочкой, у которой отобрали любимую игрушку.

Олег обнял меня:

— Успокойся. Все будет хорошо. Где ты договорилась встретиться с Катькой и Димкой?

— На Массандровском пляже в шесть вечера.

— Значит, ровно в шесть мы будем там.

— А что, если они не придут?

— Тогда поедем на виллу к Глобусу. Что-нибудь придумаем. Ты очень бледная. — Олег потрогал мой лоб. — Девочка моя, да у тебя жар! — испуганно воскликнул он. — Тебе нужно хоть немного поспать.

— Мамочка, я тоже хочу спать, — сказала Лерка.

— Нужно снять номер в гостинице. — Я устало закрыла глаза.

— Никаких номеров. Едем ко мне, — решительно заявил Олег.

— Это опасно, — покачала я головой.

— Поедем к моему другу. У меня есть ключи от его квартиры. Там вы будете в полной безопасности.

— А может, лучше поедем на виллу Глобуса и не будем дожидаться шести часов? У меня плохое предчувствие...

— Нет, так мы можем все испортить. Нужно дождаться контрольной встречи. Думаю, все обойдется.

— А если нет?

— Тогда оставим Лерку у моих родителей и поедем вдвоем. Днем на вилле нечего делать. И вообще, Наташа, давай не будем думать о плохом.

Квартира друга Олега — стандартная двушка — располагалась в обычной блочной девятиэтажке. Олег накормил Лерку пирожными с чаем и отвел в спальню. Я прилегла на диван. Олег сел рядом:

— Может, температуру померяем? Ты вся горишь, — сказал он.

— Не хочу. Мне холодно, — стуча зубами, ответила я. — Может, это просто истерика. Мне чудовищно плохо! Ты даже не представляешь, как мне плохо!

Олег склонился надо мной. Его дыхание было

таким горячим, а руки такими настойчивыми, казалось, я потеряю рассудок. Еще недавно я считала его погибшим, а теперь он здесь, рядом со мной и крепко целует меня, ласкает мою грудь...

Почему жизнь, подлянка, всегда преподносит мне какие-нибудь сюрпризы, к которым я совсем не готова и даже не знаю, как их положено принимать. Ощущения, пережитые мной в ту страстную ночь в квартире Олега на медвежьей шкуре, вернулись. Мы целовались, не отрывая губ и не разжимая объятий. Я почувствовала сумасшедшую легкость. Наши тела тесно переплелись, и я уже не понимала, где тело Олега, а где то, которое принадлежит мне. Я громко застонала, сжала кулаки, но тут же их бессильно разжала...

..Мы лежали на диване, обняв друг друга. Олег потрогал мой лоб и удивленно сказал:

— Жар совсем прошел.

Потом мы сидели на кухне и совсем по-семейному обедали. Олег не сводил с меня глаз, старался во всем угодить. Проснулась Лерка и присоединилась к нам.

— Девочку отвезем к моим родителям, там она будет в полной безопасности. Не стоит брать ее с собой на пляж..

Лерка была довольно контактным ребенком и с удовольствием знакомилась с новыми людьми.

— Мамочка, ты за меня не переживай. Мне

здесь очень нравится, — весело сказала она, прощаясь со мной, чмокнула меня в щеку и взяла мать Олега за руку.

Чтобы не расплакаться, я поспешила уйти. До шести вечера был еще целый час, и мы решили дойти до Массандровского пляжа пешком. Олег достал из кармана авиабилет и, помахав им у меня перед носом, бросил в мусорную урну.

— Что, решил никуда не лететь? — спросила я.

— Я хочу быть рядом с тобой, — ответил он.

Сектор, в котором Димка назначил встречу, был небольшим, отдыхающих совсем мало, поэтому не заметить Катьку и Димку было практически невозможно. Мы сели на перевернутую вверх дном лодку и стали ждать. Когда стрелки часов перевалили за шесть, я не выдержала и поправила висящую на плече сумку, поднялась и стала шагать взад-вперед.

— Не делай поспешных выводов, — попытался успокоить меня Олег. — Возможно, они просто задерживаются. Кстати, чего ты носишься с этой сумкой? Что у тебя в ней?

— Пистолет.

— Пистолет? — удивился Олег.

— Он самый. Мне его Димка дал. На всякий случай.

У меня не было сил говорить дальше. Я все время поглядывала на часы и всматривалась во входивших на пляж. Мы молча просидели до восьми часов. Отдыхающие разошлись по домам, и пляж опустел.

— Ну вот и все, — голосом, полным отчаяния, сказала я. — Я знала, что Димка не вернется...

Тысячу раз я задавала себе один и тот же вопрос — почему начинаешь ценить человека только тогда, когда его теряешь? Я привыкла к тому, что Димка всегда рядом, и никогда не задумывалась о том, что может наступить момент, когда я останусь совсем одна. Он приехал сюда, потому что знал — мне угрожает опасность, что я опять во что-нибудь вляпаюсь. А Катька? Ведь она боролась за свою жизнь, как могла... Мне всегда хотелось быть хоть немножечко на нее похожей...

Мы направились к выходу. Я шла, словно во сне, перед глазами стоял Димкин силуэт, медленно исчезающий в кромешной темноте ночной дороги.

## ГЛАВА 17

— Дождемся ночи, и я наведаюсь на виллу покойного Глобуса, — сказал Олег. — Ты останешься у моих родителей.

— Нет. Я поеду с тобой, — решительно замотала я головой.

— Не забывай, у тебя дочь. Ты у нее одна, отцу до нее дела нет, — настаивал он.

— У тебя тоже дочь, ты тоже у нее один, и матери нет до нее никакого дела, — возразила я. — Пожалуйста, не спорь, я поеду с тобой.

— Упрямство родилось вперед тебя, — разозлился Олег. — Сейчас заедем к моим друзьям, нам нужна помощь. Тем более что ты не умеешь стрелять, только гранаты кидаешь метко.

— А кто твои друзья? — спросила я.

— Это два брата, мы дружим с детства. Выросли в одном дворе и ходили в одну школу. Они часто бывают у меня в Германии.

— А с чего ты взял, что они будут нам помогать?

— С того, что существует такое понятие, как дружба. Ведь твой Димка тоже прилетел в Ялту, не задумываясь об опасности.

— Это совсем другое. Димка меня любит.

Олег промолчал.

Через полчаса мы подошли к каменному невзрачному дому. Увидев друзей Олега, я растерялась и не могла понять, чем они смогут нам помочь. Оба маленькие, коренастые, с увесистыми животиками. В общем, раньше времени постаревшие. Им бы лежать на диване, щелкать пультом перед телевизором да просматривать газеты.

Они вместе с Олегом ушли на кухню, а я осталась в комнате и тупо листала какой-то журнал.

Мысли снова вернулись к Димке. Я так и не успела сказать ему самое важное. Я не успела признаться, как он мне дорог, и попросить прощение за то, что сотворила много лет назад. Я поступила подло по отношению к близкому человеку, когда просто исчезла. Очень важна финальная точка. Мы должны ее ставить, как бы это ни было тяжело. Не может быть вечной любви. В этом мире все относительно и все непостоянно... Мы стареем, стареют и чувства. Может, это происходит в силу нашего возраста, а может, в силу усталости. Любовь тоже устает, иссякает и медленно гаснет. Очень страшно жить в постоянном обмане, а страшнее всего обманывать свою душу и себя саму. Иногда, когда я веду свою дочку в детский садик и вижу, что другой ребенок идет с мамой и папой, зависть забирается в мое сердце и начинает грызть меня изнутри. Но длится это совсем недолго. Я вспоминаю, что сама выбрала свое одиночество, что мне не надо никому врать, притворяться. Может быть, я не права, но так уж сложилось, такова моя индивидуальность. Вернулся Олег.

— Ты хоть бы телевизор включила, — сказал он.

— Вряд ли я смогу сейчас отличить работающий экран от неработающего, — призналась я.

— Не вешай нос, мои друзья готовы нам помочь.

— С кем ты собрался ехать? — Я присвистнула. — Они же из-за своих животов не видят собственный член!

— С этим у них все в порядке, не груби.

— Это и правда твои одноклассники? Чего же они так рано превратились в эдаких заплывших мужичков?! Может, они пошли в первый класс с пятнадцати лет?

— Нет, они пошли в школу с шести лет. Просто каждый выбирает тот образ жизни, который его устраивает.

— А чем они занимаются?

— Торгуют оружием.

— Чем?!

— Оружием.

— Получается, что с боеприпасами у нас никаких проблем?!

— Получается так.

— У них и гранаты есть?

— Есть. Они дадут тебе парочку. Только смотри, без надобности не кидай.

— Само собой, — усмехнулась я.

— Мы поедем на их «жигуленке».

— А кто будет за рулем?

— Один из братьев.

— Ты хочешь сказать, что его живот уместится между рулем и водительским креслом?

— Да что ты прицепилась к этому животу! — рассердился Олег.

В этот момент в комнату вошли братья и сказали, что они готовы отправляться.

Я надела сумку с пистолетом на плечо и посмотрела на Олега:

— Так что там у нас насчет гранат?

Олег засмеялся и посмотрел на братьев.

— Пацаны, дайте этой девушке парочку гранат, а то она без них как-то неуютно себя чувствует.

Братья переглянулись и почти в один голос заявили:

— Не женское это дело гранаты носить.

— У этой девушки редкий дар, — вновь засмеялся Олег. — Она их так метко кидает, что ей в этом деле нет равных. Я сам имел честь в этом убедиться.

Увидев их растерянность, я хитро прищурилась и сказала, чеканя каждое слово:

— Дайте парочку гранат. Мне без них жизнь не мила. И вообще, я против разделения обязанностей на женские и мужские!

— Вы феминистка? — опешили братья.

— Да. А вам это не нравится? Я самая настоящая феминистка!

Олег поцеловал меня в щеку:

— Ладно, успокойся, феминистка ты моя. Я не видел женщин беспомощнее и слабее, чем ты...

— Беспомощная?! — возмутилась я. — Да ты просто не видел беспомощных женщин! Такие женщины живут с мужьями по тридцать лет, сносят все оскорбления, потому что боятся остаться одни! Они разыгрывают из себя влюбленных, а ночами плачут в подушку! Они ненавидят свою ужасную жизнь, но не в силах ничего изменить! Просто не могут, и все... Да, они варят щи, они ждут мужика к обеду и привыкли к тому, что эти мужики воспринимают все как должное. Они даже не живут! Они просто существуют. Но зато у них есть семья! Какая она — не имеет значения. Главное, что никто и никогда не скажет, что от хороших баб мужики не уходят. Я не такая. Я не чувствую своей вины за то, что лишила ребенка отца, потому что такая семья, которая была у меня, на фиг не нужна! Я не беспомощная, потому что я никогда и ни у кого не иду на поводу! Я карабкаюсь сама!

Я вдруг, словно со стороны, услышала свой голос и сразу замолчала. «Ну и речь загнула, — подумала я, — сама от себя такого не ожидала».

— Пацаны, дайте ей гранаты, а то она не успокоится, — сказал Олег, воспользовавшись паузой.

— А она ими прямо здесь швыряться не начнет? — усмехнулся один из братьев. — По-моему, у девчонки не все в порядке с нервной системой.

— Не начнет, — заверил Олег.

Братья выдали мне полиэтиленовый пакет с двумя гранатами, и я облегченно вздохнула.

— Если моих друзей нет в живых, я взорву дом Глобуса, — решительно заявила я.

— Чтобы взорвать дом, двух гранат недостаточно. Для таких дел нужен тротил, — вполне серьезно сказал один из братьев.

— А как у вас насчет тротила? — быстро спросила я.

— Мы тротилом не балуемся, — сказал другой и направился к выходу.

К моему великому удивлению, он довольно легко разместился на водительском месте. Было уже совсем темно, но я все же смогла точно показать дорогу.

Остановившись неподалеку от виллы, мы спрятали машину в кустах и дальше пошли пешком. Олег держал меня за руку и заметно нервничал:

— Надо было оставить тебя дома. Такие дела не для женщин...

— Хватит мне говорить про мужские и женские дела, — оборвала я его. — По-моему, совсем недавно я дала полный расклад относительно этого вопроса.

— Слушай, а ты и в самом деле феминистка!

— Жизнь заставляет меня ею быть.

Дойдя до виллы, мы остановились. Братья удрученно посмотрели на высокий забор и шепотом спросили:

— Тут собаки есть?

— Нет тут никаких собак, — сказала я и охнула, увидев, как оба брата, несмотря на свой вес, сиганули через забор.

Олег хотел было последовать их примеру, но я крепко вцепилась в него:

— Послушай, а я как же?

— А ты сиди здесь и жди нашего возвращения.

— Совсем спятил? Какого черта я буду сидеть одна в темном лесу?! И потом — у меня гранаты.

— Вот и сиди со своими гранатами спокойненько под этим забором. Все! Тема закрыта. На всякий случай достань пистолет и держи его наготове. Только не вздумай палить по своим.

Олег приложил палец к моим губам и перемахнул через забор.

— Сволочь ты, Олег, — прошептала я ему вслед, — ты даже не представляешь, какая ты сволочь! — Достала пистолет и сняла его с предохранителя.

Не знаю, сколько я просидела одна в кромешной темноте. Мои нервы были на пределе. Больше не было сил ждать. Я положила пистолет в сумку, повесила ее на шею и растерянно посмотрела на пакет с гранатами. Неожиданно сообразила и, словно собака, ухватила его ручки зубами и стала карабкаться на каменный забор. Я расцарапала руки в кровь. Слизнув кровь, сделала новую попытку, и, к моему великому удивлению, у меня получилось. Правда, колени тоже были расцарапаны до крови, но я уже сидела наверху. Я посмотрела вниз и с ужасом подумала, что придется прыгать с такой высоты. Но выбора не было. Я закрыла глаза и прыгнула.

— Ничего, до свадьбы заживет, — пробормотала я, осмотрев свои ссадины, и тут же подумала: «Только будет ли она когда-нибудь, эта свадьба... По-моему, я уже все свои свадьбы отгуляла».

Вытерев кровь подолом, я стала тихонько пробираться к дому. Стояла полнейшая тишина. Увидев какую-то маленькую сторожку или будку, я решила забраться в нее, чтобы понаблюдать за домом. Открыв дверь, я обнаружила, что это вход в подвал. Прямо передо мной была уходящая вниз лестница. Я достала пистолет и стала медленно спускаться. Впереди забрезжил тусклый свет. Скоро я оказалась в сыром подземелье. То, что я увидела, оглядевшись, нельзя передать словами. В этой вонючей сырости к скользкой стене была прикована Катька. Ее голова упала на грудь, а руки безжизненно висели, словно плети. Я бросилась к ней, стала гладить ее лицо, лихорадочно ощупывать замки наручников.

— Катенька, Христом Богом молю, скажи что-нибудь, скажи, что жива, — бормотала я.

Катька открыла глаза:

— Наташка, Наташенька... — прошептала она разбитыми губами.

— Это я, Катюха, я! — громко закричала я и попыталась выдернуть оковы из стены.

Поняв, что все мои усилия напрасны, я прошептала:

— Я не могу тебя освободить. У меня нет ключей.

Катька с трудом открыла глаза.

— Наташа, беги отсюда, — услышала я. Глаза ее снова закрылись, по векам струилась кровь.

— Как это беги? — бормотала я, раз за разом дергая ее оковы. — Я пришла за тобой, я тебя обязательно освобожу, ты только держись, ты же сильная, у тебя же двое деток, они любят тебя. Я сейчас что-нибудь придумаю...

Слезы застилали мои глаза. Я понимала, что ничем не могу помочь.

Неожиданно она спросила:

— Где он?

— Кто?

— Этот маньяк. Он ненормальный, понимаешь? Уходи, а то он доберется и до тебя...

— Глупости. У меня тут целый арсенал. Две боевые гранаты и пистолет. Справлюсь. Ты держись. Главное — найти какую-нибудь пилку, и я сниму твои наручники.

— Вместе с сознанием ко мне возвращается боль, — еле слышно прохрипела Катька. — Сдохнуть бы побыстрее и не мучиться.

— Господи, Катька, ты что ж такое говоришь?! — в истерике прокричала я. — Сдохнуть она собралась! Сдохнуть-то проще всего, только кто твоих детей на ноги поднимать будет?! Ты уж держись, держись, Катенька...

Катька вновь закрыла глаза и потеряла сознание. Я громко закричала, упала на колени и в бешенстве принялась кусать наручники зубами.

Неожиданно чудовищный удар по голове свалил меня на землю.

## ГЛАВА 18

Когда я пришла в себя, я почувствовала острую боль. Болело все тело. Я хотела пошевелить рукой, но не смогла. Подняв голову, я увидела, что прикована к железному крюку рядом с Катей. Она стонала. Чудовищная боль становилась нестерпимой. Из темноты вышел ничем не примечательный мужчина и громко засмеялся.

— Ну что, очухались, мочалки?! — зловеще проговорил он.

— Этот придурок пытает меня здесь уже несколько часов, — глухо сказала Катька. — Зачем ты пришла...

— Я не могла бросить тебя.

Маньяк достал пистолет и выстрелил Катьке в ногу. Она вскрикнула и потеряла сознание. Я не могла поверить в реальность происходящего. Из груди вырвался стон. Катька открыла глаза и прошипела:

— Сука, чтоб ты сдох...

— Скоро сдохнешь ты, — ехидно засмеялся маньяк и сунул пистолет в карман.

Катька глухо застонала и вновь закрыла глаза. Стараясь унять дрожь, я закричала что было сил:

— Гад! Лучше убей нас, хватит издеваться!

— Не торопи события, — едва слышно произнесла Катька. — Ты даже не представляешь, какая это сволочь. Я никогда в жизни не видела такого скота.

Мужик вновь громко засмеялся. Он достал пистолет и выстрелил. Мою ногу пронзила такая боль, что я страшно закричала, чем развеселила этого ненормального еще больше. Закусив губу до крови, я заставила себя замолчать. Дышать становилось все труднее, на лбу выступил холодный пот. Я понимала, что нужно перетерпеть. И действительно, боль стала стихать, становилась тупее.

— Ему нравится смотреть, как мы мучаемся, — сказала Катька. — Он любит смотреть, как люди страдают.

Мужик усмехнулся и вытащил откуда-то бутылку пива.

— Страдания и боль очищают душу, — весело сказал он. — Еще немного, и вы обе будете молить меня о смерти. — Он достал пистолет и выстрелил Катьке в плечо.

Голова Катьки дернулась и поникла. Мужик подошел к ней вплотную, достал пузырек с нашатырным спиртом и сунул ей под нос.

— Я не хочу жить, — выдохнула Катька.

— Еще рано умирать. Еще не время! — Мужик потрепал ее по щеке. — От меня не так-то просто избавиться.

Он приблизился к Катькиному лицу и поцеловал ее в губы. Катерина не растерялась и укусила этого подонка за нос. Мужик громко закричал и отскочил. Из прокушенного носа показалась алая струйка крови.

— Ну, сука, я тебе за такие дела сейчас все кишки наизнанку выверну, — прошипел мужик, доставая платок.

Я громко заплакала. Уже почти полумертвая Катька открыла глаза и простонала:

— Наташа, прекрати плакать. Он только этого и ждет. Это такая скотина! Не плачь, не унижайся! Эта сволочь не должна видеть наши слезы!

Катька опять давала мне пример выдержки и силы. Подонок сидел на стуле и совершенно спокойно допивал свое пиво.

— Нас скоро освободят! — громко крикнула я. — Тебе осталось жить всего ничего. Погоди, я отрежу тебе твои яйца!

Не говоря ни слова, мужик выстрелил в мою простреленную ногу еще раз. Я вскрикнула и почувствовала, как меня покидает сознание. Вернее, не покидает, а медленно угасает. Бороться за жизнь хотелось все меньше и меньше, просто не было сил.

Мне всегда казалось, что смерть приходит

очень быстро, а человек умирает в муках только тогда, когда тяжело болеет... Я и представить себе не могла, что умирать так больно, страшно и долго... Неожиданно мне представился покойный папа, протягивающий ко мне руки и зовущий меня к себе. Он говорил, что там, в другой жизни, нет подлости, лжи, предательства и людской зависти. Там все равны. Там спокойно, тихо и умиротворенно... Я кивнула отцу и протянула ему свои руки. Мы хотели взяться с ним за руки, но что-то отдаляло нас и мешало сплести пальцы... Я сделала еще одно усилие, но и оно не принесло никакого результата.

Неожиданно я услышала чьи-то голоса и попыталась понять, кому они принадлежат. Сознание медленно возвращалось, и я с трудом разжала слипшиеся веки. Передо мной стоял Олег, глаза его были полны ужаса.

— Олежек, как здорово, что ты пришел... — прошептала я.

Потом я увидела Димку. Он выглядел не самым лучшим образом: лицо — сплошной синяк, перебитый нос... Чудовище, мучившее нас с Катькой, лежало на полу и захлебывалось собственной кровью.

— Димка, Димочка, — прошептала я. Он открыл замки и стал бережно снимать с меня наручники. Освободившись от оков, я рухнула на пол. Оглушительная боль прокатилась по всему телу. Я закричала. Димка с Олегом бросились ко мне. Я притянула их к себе и громко заплакала.

— Я возьму ее на руки, — сказал Олег и попытался меня поднять, но Димка быстро осадил его:

— Я сам ее возьму. Своя ноша не тянет.

Я повернула голову и увидела, что друзья Олега снимают Катерину. Она не подавала признаков жизни, глаза ее были плотно закрыты.

— Господи, она жива? — с отчаянием спросила я.

— Пульс есть, — тихо сказал один из друзей Олега. — Она потеряла слишком много крови... Ее нужно срочно в больницу.

— А что делать с этим уродом? — Один из братьев пнул истекающего кровью мужика в живот.

— Связать — и в багажник, — сказал Олег и взял меня на руки.

Димка тут же оказался рядом.

— Ребята, ну что вы, в самом деле, как дети маленькие? — слезно взмолилась я. — Сейчас самое главное Катьку спасти, а то она точно до больницы не дотянет.

Димка грустно улыбнулся и отошел. Я осталась на руках у Олега.

...Не знаю, как мы уместились в этом «жигуленке», но машина тронулась с места. Катька попрежнему не приходила в себя. Димка следил за ее пульсом. В ближайшей больнице нас с Катериной отправили сразу в операционную. А дальше — полный провал и легкая, приятная истома в момент пробуждения. Наверно, это наркоз, только он может так здорово притупить и облегчить боль.

Когда я открыла глаза, то увидела сидящего рядом со мной Олега. Он держал меня за руку и нежно перебирал мои волосы.

— Со мной все в порядке? — я облизала высохшие губы и постаралась улыбнуться.

— С тобой все в полном порядке. Умирать, что ли, собралась?

— Нет. У меня еще вся жизнь впереди.

— Не у тебя, а у нас.

— Послушай, а с Катькой-то что? — испуганно спросила я, пропустив слова Олега мимо ушей.

— С ней немного хуже.

— Она жива?

— Жива. Она сейчас под капельницей. Ей придется немного позагорать в больнице.

— Главное, что она жива, — облегченно вздохнула я. — А где Димка?

— Твоего Димку тоже пришлось немного подштопать. У него там какие-то проблемы с переносицей. Он сейчас от наркоза отходит.

— Бедненький, ему, наверно, досталось...

— Больше всех досталось твоей подруге. И почему ты такая упрямая? Сидела бы себе под забором... Не схлопотала бы две пули в одну и ту же ногу. Мало было тебе простреленной руки.

— До свадьбы заживет, — улыбнулась я и посмотрела на Олега влюбленными глазами.

— А когда свадьба?

— Я свои свадьбы уже отгуляла, — грустно сказала я. — Да и ты, по-моему, тоже.

— Ты в этом уверена?

— Вполне. Со свадьбами у меня вопрос решен. Сначала свадьбы, затем разводы... Знаешь, как мне уже все это надоело?

— А по-другому не бывало?

— По-другому просто вообще не бывает.

— А как же у других людей?

— Наверное, у них по-другому, потому что они сами другие.

— А ты, значит, у нас особенная?

— Разве незаметно?

Я попробовала встать с кровати, и с третьей попытки мне это удалось. Олег пытался помочь мне, но я молча отстранила его.

— Я и забыл, что ты у нас феминистка, — заметил он.

— Не смей смеяться над калекой, — прошипела я и попробовала сделать шаг.

Правая нога совсем меня не слушалась. Я попыталась выкинуть ее вперед, но это не принесло никакого результата.

— Хромоножка ты моя, — засмеялся Олег и обнял меня.

Я посмотрела на него глазами, полными слез, и жалобно произнесла:

— Я теперь всегда буду хромать? Лучше бы я маленькой умерла!

— Не переживай, я куплю тебе самые красивые костыли, — улыбнулся Олег.

— Да пошел ты со своим костылем! — Я смахнула слезы.

— Прекрати реветь. Ты уже, по-моему, за этот отпуск вдоволь наревелась. Странная ты женщина. Из твоей ноги только что достали две пули, а ты уже хочешь ходить, как новенькая!

Я прижалась к Олегу щекой и попросила отвести меня к Катерине. Она лежала в соседней палате. Я вошла и замерла на пороге. Глаза Катьки были плотно закрыты, она тяжело дышала, рядом с кроватью стояли две капельницы. Олег помог мне подойти поближе. Нагнувшись, я поцеловала Катьку в щеку и прошептала:

— Держись, подруга. Бывало и хуже.

Неожиданно Катерина открыла глаза.

— Хуже не бывало, — прохрипела она и облизала пересохшие губы.

— Очухалась? — радостно воскликнула я. — Умница! Ты даже не представляешь, какая ты умница! Все самое страшное позади. Слышишь, все обошлось. Мы выкарабкались! Мы смогли!

— А ты сомневалась? — вновь прохрипела Катька и попыталась улыбнуться.

— Я ни в чем не сомневалась, я молилась только об одном, чтобы ты осталась жива. Все будет хорошо. Я вон тоже пока хромаю, но Олежка обещал купить мне костыли. Знаешь, в этом есть что-то экзотическое: идет обалденно красивая женщина и — на костылях!

— Да уж, экзотики полные штаны, — усмехнулась Катька и посмотрела на Олега. — Это твой курортник, что ли?

— Он самый.

Катька слегка приподняла голову, но сразу же бессильно откинулась на подушку. Я поправила ее волосы и сказала:

— Ты давай, заканчивай такие номера отмачивать. Тебе вообще двигаться запрещено. Лежи и не дергайся. Будешь лежать до полного выздоровления.

— Твой курортник вроде как умер? — с трудом проговорила Катька.

Я посмотрела на Олега и весело сказала:

— Такие не умирают. Такие кого хочешь переживут.

— Он у тебя воскрес, что ли?

— Что-то вроде того.

— Поздравляю, зря ты слезы проливала да истерики катала. Мол, влюбилась — сил нет, а он такой-сякой сам себя застрелил.

Олег подошел к Катерине поближе.

— Это кто истерики катал? Наташка, что ли? — удивленно спросил он.

— Она самая, — глухо ответила Катька. — Любит она тебя, как зараза, разве ты сам не видишь?

— Не говори ерунды, — рассердилась я.

— Ты и в самом деле в меня влюбилась? — улыбнулся Олег.

— Я уже вышла из того возраста, когда влюбляются, — звонко отчеканила я.

— Да! Я же совсем забыл, что ты у нас феминистка. Говорят, что феминистки вообще любить не умеют.

— Это кто феминистка? Наташка, что ли? — собрав силы, усмехнулась Катька. — Какая она феминистка! Она без мужика и дня не может прожить.

В палату вошла медсестра и сказала, что Катерине нужно отдыхать. Мы пообещали зайти на следующий день и вышли в коридор.

В коридоре стоял Димка с перебинтованным лицом. Увидев меня, он присвистнул и покрутил пальцем у виска:

— Ты на самом деле сумасшедшая. Тебе же лежать надо.

— На том свете все належимся. Даже если очень сильно захочется встать, все равно ничего не получится, — отмахнулась я.

Дохромав до Димки, я взяла его за руку и заглянула ему в глаза:

— Я так рада, что все обошлось, ты жив. Мне все мерещился твой одинокий силуэт на темной дороге, без слез вспоминать не могла. Я так тебе обязана.

— Да ничем ты мне не обязана, — смутился Димка. — Действительно, все обошлось, вот и курортник твой жив.

— Это же здорово, что вас у меня двое и что вы оба живые.

— Ну что, пора идти, — сказал Олег и ревниво посмотрел на Димку. — Этот мужик все еще в багажнике лежит. Нужно придумать ему достойную казнь. Машину пришлось отогнать подальше, тут отделение милиции под боком.

Когда мы проходили мимо районного отделения милиции, я обратила внимание на щит с заголовком «Их разыскивает милиция». На одной из фотографий был изображен тот самый мужчина, который совсем недавно держал нас с Катькой в подвале.

— Ребята, посмотрите, это же тот тип, что лежит у нас в багажнике!

«Внимание! Разыскивается особо опасный преступник, — стала читать я вслух, — Кротов Иван Геннадиевич по кличке Крот, который подозревается во многих преступлениях в отношении лиц женского пола. Кротов И.Г. имеет ярко выраженные маниакальные наклонности и легко входит в доверие к одиноким женщинам. Кротов И.Г. подозревается в зверских убийствах десяти женщин возрастом от 19 до 30 лет. Особые приметы...»

Читать дальше не было необходимости.

— Вот так крендель у нас в машине! — удивилась я.

— Глобус держал Крота как палача, — сказал Димка. — Может, нам эту сволочь в ментовку сдать?

— Какая, к черту, ментовка?! — воскликнули мы с Олегом в один голос. — Ну, сдадим мы его в ментовку, а дальше-то что? — принялся объяснять Олег. — Посадят в камеру, признают невменяемым, то бишь психом, и отправят на принудительное лечение в психиатрическую больницу. А там с местами напряженка. Его немного подлечат и — на свободу, поминай как звали. Вот и весь расклад. Мы с этой гнидой сами разделаемся. Сейчас повезем его на дикий пляж и пристрелим как собаку.

— Желаю вам удачи, — грустно сказал Димка и поцеловал меня в щеку.

— Ты куда собрался? — опешила я.

— Сейчас ловлю такси до Симферополя, а оттуда самолетом в Москву.

— Как это — в Москву?

— Мне кажется, я здесь уже не нужен, ведь тебе больше не угрожает опасность. Я должен появляться в нужное время в нужном месте.

— Дим, ты что несешь?!

— Наташа, только не вздумай устраивать истерику. Сейчас у тебя все в порядке, и я тебе больше без надобности. Ты отдохни еще немного, поправь здоровье и прилетай. Я буду ждать звонка. Я вообще всегда жду твоих звонков.

— Я тебя никуда не пущу!

— Пустишь, куда ты денешься.

— Скажи честно, ты приревновал меня к Олегу? — спросила я.

— Наташ, я же тебе говорил, но, видимо, придется повторить еще раз. Как я могу ревновать то, что мне не принадлежит? Не забывай, мы просто друзья. Верные, хорошие. Преданные друзья. Мы уже много лет вместе и очень нужны друг другу.

— Но ведь ты еще недавно говорил, что любишь меня.

— Я пошутил. Была экстремальная ситуация.

— Ты не шутил. Ты говорил правду. Я знаю, когда ты шутишь.

— Зачем тебе это? Тебе не нужна моя любовь. Тебе нужна моя дружба.

— Но ведь ты рисковал ради меня собственной жизнью? — не унималась я.

— Есть такие друзья, жизнь которых дороже своей собственной. До встречи. Поцелуй Лерку.

Димка достал платок, вытер мои слезы и поцеловал меня в щеку. Буквально в считаные секунды он поймал такси и перед тем, как сесть в машину, крикнул:

— Наташка, а ты после Ялты куда?

— Как куда?

— В Москву или в Бремен?

— Какой, к черту, Бремен?! Конечно, в Москву! — прокричала я и всхлипнула.

— До встречи. Звони! Я приеду за тобой в аэропорт.

— Он тебя любит, — тихо сказал Олег, когда машина отъехала. — Ты даже не представляешь, как сильно он тебя любит...

## ГЛАВА 19

С помощью Олега я дохромала до «жигуленка», в котором нас ждали оба брата. Олег вкратце рассказал им о том, что мы узнали про мужика в багажнике, и те дружно присвистнули.

Мы приехали на тот самый пляж, где Олег инсценировал свое самоубийство. Начинало светать.

Все тот же пустынный берег... Все те же раскатистые волны... Картины той ночи вставали передо мной одна за другой. Вот Олег стреляет себе в грудь и падает на песок... Из груди течет кровь, а морские волны подхватывают его тело и уносят все дальше и дальше... Я громко кричу, бьюсь в истерике и стараюсь вытащить его из воды... Олег становится неимоверно тяжелым. Я чувствую, что теряю силы, слезы отчаяния застилают мои глаза. Ни с чем не сравнимая горечь утраты, ощущение чудовищной пустоты...

Чья-то рука легла мне на плечо. Оглянувшись, я увидела Олега.

— Именно здесь ты себя убил, — сказала я и тяжело вздохнула.

— Я же хотел как лучше, ты знаешь.

— Наверное, так всегда: хочешь как лучше, а получается хуже.

Убрав руку Олега со своего плеча, я захромала к машине. Братья вытащили связанного маньяка на песок и стали снимать с него веревки. Они посадили его рядом с большим камнем и встали напротив. Я подошла чуть ближе.

— Ну что, парень, очухался? — спросил один из братьев.

Мужик смотрел на нас перепуганным взглядом.

— Только не убивайте, — пробубнил он и сплюнул собравшуюся во рту кровь. — Христом Богом заклинаю, не убивайте.

— А, ты у нас и Бога вспомнил, — усмехнулся Олег. — Что ж ты раньше о Боге-то не думал?! Поздновато! Ты лучше вспомни, сколько невинных женщин погибло по твоей вине?!

Я затаила дыхание. Я прекрасно понимала, что этот мясник не человек, а самое настоящее исчадие ада. Он был просто похож на человека... Он говорил как человек, делал какие-то движения, но все же это был не человек... Его губы дрожали, а на лбу выступил пот. Оно и понятно. Он любил наблюдать за чужой смертью и больше всего на свете боялся своей собственной. В его перепуганных глазах читалось безумие. От такого никуда не уйдешь. Меня стошнило.

Подошел Олег и ударил его ногой. Мясник поднял глаза, на губах его появилась садистская улыбка.

— Не убивайте, я вам еще пригожусь... — заговорил он. — Глобус взял меня к себе для того, чтобы я играл роль палача. Я умею быть палачом. Я умею убивать. Это очень ценное качество... Я люблю кровь, я умею обращаться с жертвой. Я очень ценный работник... Мне не нужно платить, потому что, когда я вижу кровь, я получаю удовольствие, а оно дороже самых больших денег. Никто из вас даже не может представить, сколько в человеке крови. Ведь любой человек — обыкновенный кусок мяса.

— Да заткните вы этого придурка! — закричала я и выхватила у Олега пистолет.

— Ты что собралась делать?! — бросился он ко мне.

— Я убью его сама! Своими собственными руками!

Тут вмешался один из братьев:

— Мы просто дали ему возможность выговориться. Отдай Олегу пушку. Не женское это дело в мясников стрелять. Сейчас мы его быстро заделаем.

— По-моему, мы уже объяснились по поводу женских и мужских обязанностей, — процедила я сквозь зубы, сняла пистолет с предохранителя и повернулась к мяснику:

— Встань, сволочь! Суд идет!

Мясник оперся о камень и быстро поднялся. Я увидела в его глазах смертельный страх, и это привело меня в самый настоящий восторг.

— Это тебе за Катьку!

Пуля попала в ногу и, по всей видимости, прошла насквозь.

— Это тебе за меня! — я выстрелила в плечо. Мясник с воплем упал на песок.

— Ну что, сука, больно?! — злорадно спросила я.

— Больно... — судорожно выдохнул мясник.

— Говори громче, не слышу!

— Больно...

— Громче!

— Больно!!! — прокричал мясник и посмотрел на меня глазами, молящими о пощаде.

— Молодец. Я хочу, чтобы ты чувствовал боль точно так же, как ее чувствовали другие. Где больнее — в ноге или в плече?

— Везде, — прохрипел мясник.

— Я спросила тебя, где больнее?!

— В плече.

Я выстрелила в уже простреленное плечо и поняла, что могу потерять сознание. Мясник со стоном катался по песку. Песок смешивался с кровью. Жуткое зрелище. Неожиданно он закатил глаза и замолчал.

— Эй, мы так не договаривались! — шагнула я к нему. — Немедленно открывай глаза и говори, где больше всего болит!

Подбежал Олег и выхватил у меня пистолет. Не говоря ни слова, он выстрелил мяснику прямо в сердце и убрал пистолет в карман.

Я села на песок и завыла. Никто не осмеливался подойти ко мне.

Спустя какое-то время я начала успокаиваться, истерика проходила.

— Никакая я не феминистка, — бормотала я. — Я сегодня первый раз в жизни стреляла! Я и гранаты-то только у вас в Ялте впервые в руки взяла... Что же это за курорт! Стреляют, мучают, откуда только такие отморозки берутся... Храбрюсь, храбрюсь... Только для вида... А на самом деле мне страшно...

Олег сидел рядом и гладил меня по голове. Братья копали могилу для мясника.

Когда мы приехали в Ялту, я почти совсем успокоилась. Я смотрела в окно «жигуленка» и думала о Димке. Наверное, это и есть любовь, когда один человек любит другого и не ждет за это благодарности. Он уехал, чтобы мне не мешать, не создавать лишних проблем. Он всегда понимает меня с полуслова и делает все возможное, чтобы меня не тяготило его присутствие. Он будет ждать моего звонка, и я обязательно ему позвоню, потому что наши с ним звонки уже давно стали необходимостью.

Олег словно прочитал мои мысли и посмотрел на часы:

— Димка, наверное, уже в самолете.

— Наверное.

— Он всегда появляется в трудную минуту?

— Всегда. Он прилетит в любую точку земного шара, если мне это будет хоть немного необходимо.

— Тогда почему вы не вместе?

— А кто сказал, что мы не вместе? Мы вместе уже много лет.

— Я не в этом смысле, — растерялся Олег. — Я в смысле того, почему бы вам не начать вместе жить?

— Потому что мы уже пробовали, и у нас ничего хорошего не получилось.

— И кто в этом виноват?

— Не знаю. В таких делах виноватых вообще не бывает. Может, виновата я, что так и не смогла его полюбить, а может, Димка, что не смог мне в этом помочь.

— Тогда почему он не женится на ком-нибудь другом?

— Наверное, потому, что в этом мире есть я. А может, потому, что с возрастом привыкаешь к одиночеству, и новый человек в твоей квартире играет роль обыкновенного раздражителя.

У дома Олега мы попрощались с его друзьями. Олег провел меня в дом, и я уселась на медвежью шкуру.

— Я ведь так и не знаю, что произошло в доме Глобуса, — сказала я.

— Ничего особенного, не считая того, что нам пришлось убрать парочку бритоголовых ребят, — ответил Олег. — Прислугу мы не трогали. Затем мы искали подвал и наткнулись на комнату под лестницей. Именно в ней и лежал связанный Димка. Как только мы освободили его, влетели в спальню к кухарке и приставили к ее голове пистолет. Она страшно перепугалась и сказала, где находится этот злосчастный подвал. Даже подумать страшно, что мы могли опоздать... Когда я увидел тебя, то вообще перестал соображать. Я же оставил тебя за забором. Ума не приложу, как ты могла через него перелезть.

— Дурное дело не хитрое. Я себе все колени расцарапала. Да и руки тоже. Ну ничего, до свадьбы заживет.

— А когда свадьба? — усмехнулся Олег.

— Ну что ты мучаешь меня своей свадьбой! В нашем возрасте свадьбы уже не гуляют.

— А зря. Тебе бы очень пошло свадебное платье.

«Пришлось убрать парочку бритоголовых», —

всплыли вдруг в памяти слова Олега, и я испуганно ойкнула. Олег недоуменно посмотрел на меня.

— Не нравится мне все это... — сказала я.

— Что именно? — спросил Олег.

— Вообще ничего не нравится. Ты сказал, что, кроме прислуги, в доме была всего парочка мордоворотов?

— Ну. Именно так и было.

— Странно, а куда же тогда подевался тот почетный гость, которым так хвастался передо мной Глобус?

— Не знаю. Может, уехал хоронить своего хозяина.

— Это не смешно. Нам по-прежнему грозит опасность! Он достанет меня из-под земли и разделается за смерть Глобуса.

— Ерунда. Может быть, один из тех двоих и есть почетный гость.

— Твои бы слова, да богу в уши. Нужно подождать дня два. Если ничего не произойдет, будем надеяться, что все обошлось и нам больше не угрожает опасность. Ну и курортный роман у меня получился! — вздохнула я. — Почему именно у тебя, у моего придуманного курортника, я должна была украсть эти чертовы бумаги!.. Ну никакой романтики!

Олег посмотрел на часы:

— Наташа, я должен ненадолго отлучиться.



11 Ю. Шилова

Не скучай. За дочку не беспокойся. Она с моей матерью во дворе. Если хочешь, иди к ним. Я постараюсь вернуться как можно быстрее. Сегодня заночуем у меня, а завтра утром поедем к Катерине в больницу.

— Куда ты собрался?

— По своим делам. Мне нужно встретиться с одним деловым партнером.

— Это не опасно?

— Это совсем не опасно, — засмеялся Олег и помог мне встать.

Я вышла на улицу следом за ним и села на лавочку. Лерка радостно кинулась ко мне, но быстро вернулась в свою песочницу. Мать Олега присела рядом со мной.

— Как вам у нас в Ялте? — нарушила она молчание.

— Хорошо. Только я еще не успела толком отдохнуть. Все время какие-то дела, какие-то неотложные проблемы.

— Вот это вы зря. На курорте нужно уметь расслабляться и отдыхать.

— Не получается. У меня в запасе еще пара деньков, может быть, еще отдохну. Хочется красиво загореть.

Мать моего придуманного курортника с любопытством посмотрела на мою забинтованную ногу:

— Что у вас с ногой? Если я не ошибаюсь, в прошлый раз вы не хромали.

— Я так сильно упала, что получила трещину.

Трещину? У вас серьезная травма?

— Да нет. Говорят, что хромота скоро пройдет, а нога до свадьбы заживет.

— Вы выходите замуж?

— Пока нет.

— Вы вся в каких-то ссадинах и синяках, — продолжала разглядывать меня любопытная женщина. — Что-нибудь случилось? И Олег дерганый, нервный, прямо на глазах изменился. И рука перевязана...

— Он же у вас занимается бизнесом. Деловые люди часто нервничают.

— А вы были у Олега в Бремене?

— Нет, пока не успела.

— Обязательно съездите к нему в гости. У него очень хороший дом, там всегда полно гостей. Вот мы с отцом собираемся. Внучку хочется увидеть, сил нет. А вы сами из Москвы?

— Из Москвы.

— Ну и как там, в Москве?

— Нормально, — пожала плечами я и почувствовала, что эта женщина стала меня утомлять своими расспросами.

— В Москве нынче жить страшно. Не знаешь, куда пойти. В любом месте взорвать могут.

— На то она и смерть. Она не зависит от того,

в таком городе живешь. Если ей сильно захочется, она настигнет тебя, где бы ты ни был.

— А у вас с Олегом какие отношения? — хитро взглянула на меня женщина. — У вас с ним серьезно?

— Не знаю. У нас с ним курортный роман.

Не дожидаясь ее реакции, я сказала, что хочу пить, и ушла в дом. Завидев лежащую на полу медвежью шкуру, я улыбнулась. Мне вспомнилась бурная ночь с Олегом. Сегодня будет еще одна, да и завтра, возможно, тоже. Я разволновалась. Что ни говори, а Олег был потрясающим любовником и мог доставить женщине настоящее удовольствие.

Я подошла к большому, висящему на стене зеркалу, посмотрела на свое отражение и улыбнулась. Я всегда была привлекательной. Я распустила волосы, представила Олега рядом и почувствовала нервную дрожь. Услышав, как хлопнула дверь, я оглянулась. На пороге стоял Олег. Он был немного бледен.

— У тебя что-то случилось? — спросила я.

— Нет. Просто мой партнер не пришел на встречу, — ответил он. — Но ничего страшного. Контрольная встреча через два часа. Так что в нашем распоряжении уйма времени.

— Для чего?

— Для того, чтобы заняться сексом.

— Два часа, по-твоему, уйма?

Олег подошел ко мне, и в следующую секунду мое платье упало на пол.

— Как твоя нога? — прошептал Олег, нежно обнимая меня.

— А как твоя рука? — шепнула я.

— Более-менее, какие же мы с тобой простреленные! — засмеялся Олег и стал раздеваться.

Из его кармана выпал пистолет и с грохотом упал на пол. Я растерялась.

— Ты же ходил на деловую встречу с партнером, так?

— Так.

— Тогда зачем ты взял с собой пистолет?!

— Я всегда беру его с собой, — пожал плечами Олег.

— Не ври! Я же заметила, что ты пришел немного не в себе. Ты что-то от меня скрываешь? У тебя какие-то проблемы?

— Наташа, у меня всегда проблемы, потому что я занимаюсь бизнесом.

— И сейчас ты опять пойдешь с пистолетом?

— Конечно. Я без пистолета, как ты без гранат.

— Не смешно, — обиделась я. — Мне кажется, ты чего-то не договариваешь.

— Брось. Не думай о плохом.

Олег осторожно опустил меня на медвежью шкуру и стал любоваться моим телом.

— Тебе хорошо со мной? — спросил он и поцеловал мою грудь.

— Хорошо, — еле слышно ответила я. Наши тела слились воедино. Я чувствовала себя птицей, парящей над огромным океаном, которая готова закричать от сумасшедшего сладостного наслаждения... Еще несколько минут, и я почувствовала, что уже не могу лететь и медленно срываюсь в пропасть...

Олег поправил мои растрепанные волосы и улыбнулся блаженной улыбкой.

— Ты похожа на кошку.

— А почему именно на кошку? — рассмеялась я.

— Потому что ты всегда разная. Иногда ты себя ведешь как совсем маленький ухоженный домашний котенок, а иногда как порочная, гулящая кошка. Я хочу знать о тебе все.

— Ты хочешь услышать о моем прошлом?

— Судя по тому, что произошло здесь, в Ялте, оно у тебя было довольно бурное...

— Даже больше, чем ты можешь себе представить. Но зато я накопила богатый жизненный опыт и ни разу не жалела о том, что со мной было раньше. Я вообще не люблю жить прошлым. Я живу настоящим. Сейчас есть ты и я, и нам хорошо вместе. Пройдет немного времени, и все это останется в прошлом.

— Ты совсем не думаешь о будущем? — нахмурил брови Олег.

— Почему не думаю? Думаю. Только я привыкла жить настоящим.

Я обвила шею Олега руками и принялась покусывать его ухо.

— У тебя восхитительное тело, — возбужденно сказал Олег.

— Ты хочешь еще?

— Ненасытная, — засмеялся Олег. — Я должен восстановить силы, — признался он.

— Хорошо, — легко согласилась я. — Сейчас мы примем душ, и ты пойдешь на свою встречу. Когда вернешься, будем любить друг друга всю ночь, у нас осталось слишком мало времени. Мы скоро разъедемся.

— Знаешь, я постоянно думаю о нашей первой встрече, — меланхолично заговорил Олег. — Ты первая женщина в моей жизни, которая ради знакомства со мной подвинула полпляжа.

Я засмеялась.

— Ты умеешь провоцировать мужчин, — продолжал он. — В твоих глазах всегда нечто большее, чем просто обещание. Я не понимаю, почему ты упорно не хочешь выходить замуж?

— Почему? Потому что не хочу, и все. Мужчина — это определенные ограничения. Мне надоело, когда меня постоянно ограничивают.

Олег закрыл ладонью мой рот:

— Не говори так. Ты обманываешь сама себя. Я люблю тебя и хочу жениться на тебе. У тебя больше никогда не будет других мужчин.

— Просто поразительно, с какой легкостью делают предложения одинокие мужчины. «Выходи за меня замуж, дорогая...» — и женщина с радостью бросается на наживку. Семейная жизнь — сплошная ловушка. Мышка забежала, ловушка захлопнулась. Мышка мечется, съедает припасенные для нее кусочки сала, а затем хочет вырваться на свободу. Но ловушка такая крепкая, дверь мышеловки никак не открывается...

Олег рассердился, но сдержался:

— Тогда давай будем просто встречаться.

— Каким образом? Мы же не на соседних улицах живем. Ты — в Бремене, я — в Москве.

— Мы можем прилетать друг к другу в гости.

— Я рада, что ты уже все спланировал, — с грустью сказала я. — Есть только одна маленькая проблема. Да, я люблю тебя сейчас, сегодня, но кто знает, что будет завтра? Извини, я так устроена, и я совсем не хочу меняться.

Олег посмотрел на меня каким-то потерянным взглядом, потом подхватил меня на руки и бросил на кровать. Он был в ярости и подмял меня под себя. Я поняла, что можно бороться с чем угодно, но только не с собственной страстью. Я почувствовала ни с чем не сравнимое наслаждение. С каждым разом наша близость захватывает меня все сильнее.

Потом я лежала рядом с задремавшим Олегом и думала о том, почему далее самая большая страсть так быстро исчезает в браке. Может быть, потому, что, выйдя замуж, мы, женщины, перестаем бороться за внимание мужчины? Почувствовали, что поймали рыбку, и моментально прячем наживку, а достаем ее только по особым праздникам. Наверно, именно поэтому мы перестаем возбуждать наших мужчин, и они заводят интрижки на стороне. Да, были времена, когда я просто идеально подходила на роль жены. Были, но закончились. Больше мне совсем не хочется сдаваться, сдавшись еще раз, я должна буду признать полное поражение.

## ГЛАВА 20

Открыв глаза, я посмотрела на часы и потрепала Олега за ухо.

— Ты уже опаздываешь!

Олег вскочил и быстро оделся.

— Не забудь пистолет, — съехидничала я.

— Он у меня в кармане. Я недолго. Мигом туда и обратно. Вернусь, пойдем ужинать в ресторан.

— А где у тебя встреча?

— У мужчины должны быть тайны, — засмеялся он.

Олег ушел. Вставать не хотелось, и я стала разглядывать комнату. Взгляд мой остановился на странной картине. Это была работа какого-то неизвестного мне художника-авангардиста. Геометрические фигуры, напоминавшие египетские пирамиды, пронзал хитрый женский глаз. Я подошла поближе. Проведя по картине рукой, я вздрогнула — из-за картины выпал почтовый конверт. В нем была фотография. С нее на меня смотрел Мазай, тот самый Мазай, из-за которого начались все мои неприятности. Он стоял в большом кожаном пальто с сигаретой в руках. «Господи, — подумала я, — какое отношение Олег может иметь к Мазаю? Что их связывает?..» Сердце неприятно заныло. Я заглянула в конверт и обнаружила аккуратно сложенный листок бумаги. На нем было подробное описание внешности покойного Мазая и основные места его пребывания. Чуть ниже виднелась подробная схема ресторана гостиницы «Интурист». Вот и тот самый коридор, по которому я хотела пройти в туалетную комнату... И в конце сумма — 20 тысяч долларов. Десять — до выполнения работы и десять — после.

Во рту пересохло. Чтобы прийти в себя, я допила остатки шампанского. Выходит, Олег не так прост?.. Неужели этот тихий, интеллигентный на вид бизнесмен заказал смерть Мазая?.. Это же полнейший бред, просто не укладывается в голове. Зачем ему это надо? Мазай живет в Ялте, а Олег — в Бремене. Что общего между ними?

Мне потребовалось немало сил, чтобы сосредоточиться. Я села на кровать и стала размышлять: «В той перестрелке я чуть было не погибла. Чудом осталась жива... Получается, что еще несколько минут назад я занималась любовью с человеком, который едва не лишил меня жизни. Почему он ничего не рассказал мне?! Если бы я совершенно случайно не тронула эту картину, я бы никогда ничего не узнала. Нет, он совсем не такой простачок... А куда он пошел сейчас? Рассчитываться с киллером или давать новый заказ? Вот тебе и бизнесмен из Бремена! Он не бизнесмен, он убийца. Самый настоящий убийца, только убивает не из автомата, а своими деньгами. Боже мой, какой, к черту, брак, какое постоянное место жительства в Бремене! Все это обыкновенная фальшь и игра».

Мне вспомнился наш разговор о перестрелке в «Интуристе». Олег гладил мои волосы, искренне меня жалел и несколько раз спрашивал, кто такой Мазай. Хорошо же он умеет пудрить мозги и вешать лапшу на уши. Хренов киллер!

Я решила немедленно покинуть дом и побежала на половину родителей Олега. Мама Олега кормила Лерку и читала ей книжку.

— Лера, ешь побыстрее, мы уезжаем, — выпалила я.

— Куда это вы собрались? — переполошилась мать Олега. — На улице темнеет, ребенка пора укладывать спать. Она и так в обед не поспала.

— Лера, ешь быстрее, — снова поторопила я дочь.

— Если вы куда-то собрались, оставьте ребенка у нас, — продолжала настаивать мать Олега. — Девочка весь день бегала, устала. Олег сказал, что вы поедете в ресторан. Зачем таскать ребенка с собой? У ребенка должен быть режим.

— Мы не идем в ресторан. Когда Олег вернется, передайте ему, пожалуйста, чтобы он за нас с Леркой не переживал и занимался своими делами.

— Вы что, поссорились?

— Мамочка, а куда мы поедем? — спросила Лерка.

— Какая разница! — раздраженно бросила я и взяла Лерку за руку. Она попыталась сопротивляться. Чтобы сгладить вырвавшуюся у меня грубость, я присела перед дочкой и стала ласково уговаривать ее:

— Милая, мы погуляем у моря. Ты же приехала отдыхать, пойдем, купим мороженого, выспимся в Москве.

Я поймала первое попавшееся такси, и мы поехали к Катьке в больницу. Дежурная медсестра попыталась меня не пустить, говорила, что уже поздно и что в больнице режим, но я все-таки прорвалась, сунув ей немного денег.

Катерина не спала.

— Катюха, ты как? — спросила я, усадив Лерку на стул.

— Чего так поздно приперлась да еще и ребенка притащила? — удивилась она. — А где твой курортник?

Я пересадила Лерку к окну, поставила на подоконник какие-то пустые пузырьки из-под лекарств:

— Ты поиграй в больничку, а я поговорю с тетей Катей, хорошо?

— Хорошо, — кивнула головой дочка и попросила разрешения налить в бутылочки воды, «чтобы было, как в настоящей больнице».

Я принесла ей воды, присела к Катьке на кровать и с радостью отметила, что у нее появился румянец. Значит, все не так уж и плохо, Катерина идет на поправку.

— У тебя что-то стряслось? — тихо спросила моя чуткая подруга.

— Стряслось. У меня и дня не бывает, чтобы что-то не стряслось.

— Ну тогда колись.

Я наклонилась к Катерине поближе и рассказала обо всем, что произошло в доме Олега. Катерина внимательно меня выслушала, так ни разу и не перебив.

— Он киллер, — закончила я свой рассказ.

— Он не киллер. Он заказчик, — поправила меня Катька.

— Какая разница! Просто один платит, а другой убивает.

Катька тяжело вздохнула и усмехнулась:

— Вот тебе и безобидный курортник. Вот и заводи курортный роман после этого. Получается, что с мужиками теперь вообще нельзя знакомиться.

— Не знаю, как со всеми, но уж с курортными — точно, — засмеялась я.

— Ладно, смех смехом, но ты уж давай, держись от него подальше, — сказала Катька. — Ты и так из-за этого придурка настрадалась. С лихвой расплатилась за свои знойные ночи... Чуть было жизни не лишилась. Каков червь! Все в себе держит и молчит. Как будто он вообще ни к чему отношения не имеет. Бизнесмен хренов. Пусть мотает в свой Бремен ко всем чертям.

— Мне кажется, что он, пока пол-Ялты не перезаказывает, никуда не умотает. Бременский музыкант.

— Трубадур, — поддержала меня Катька. — Ты вот что, езжай к моей матери. У нее заночуешь. Тебе нужно в Москву уезжать, и чем быстрее, тем лучше.

— Как же я могу уехать, ежели ты еще на ноги не встала?

— Не волнуйся. Встану. Может быть, даже завтра и встану.

— Я завтра к тебе приеду.

Вошла дежурная медсестра и укоризненно показала на часы. Я пожелала Катьке спокойной ночи.

— Будь осторожна, — сказала она, прощаясь.

Катькина мать обрадовалась нашему приходу.

— Как там моя Катька? — спросила она.

— Уже лучше. Храбрится, что завтра на ноги встанет.

— Да куда ей вставать-то, ей еще лежать и лежать, — вздохнула она и повела Лерку спать.

— Господи, на кого ты похожа, — с сочувствием сказала она, вернувшись. — Приведи себя в порядок да выйди на люди, тебе сразу легче будет.

Я подумала, что мне и в самом деле нужно немного развеяться. Пойти туда, где люди. Много людей... Главное, видеть их, слышать их голоса, может, тогда станет легче. Чтобы скрыть свою перевязанную ногу, я надела длинное черное платье. Уложив волосы, навела вечерний макияж и с удовольствием посмотрела на себя в зеркало. Я давно поняла! Женщина должна выглядеть женщиной в любой ситуации, какой бы скверной она ни была.

После развода с мужем я пережила страшную неделю. Я не выходила из дома, не вставала с кровати. Я чувствовала себя использованной вещью. В голове не было мыслей, я вообще ни о чем не думала. Принимала кучу таблеток и засыпала. Как только просыпалась, вновь принимала таблетки и погружалась в сон. Я не ела, не реагировала на телефонные звонки. Словно впала в кому. Я многое пережила раньше, но никогда не испытывала такого унижения, как этот развод. Странно, но в этот жуткий период меня никто не навещал. Даже Димка. Он был в командировке. Если бы я умерла, мое тело обнаружили бы только через несколько недель.

И все же я смогла взять себя в руки. Однажды я заставила себя встать и подойти к зеркалу. Увидев свое отражение, я испугалась. Я очень сильно похудела, осунулась и заметно побледнела. Не давая себе расслабиться, я быстро оделась и пошла в парикмахерскую. Домой я вернулась другим человеком, поняв, что закончился еще один эпизод моей жизни. Я открыла бутылку виски, включила музыку и легла на пол. Мелодия начала меня заводить, и я сама не заметила, как начала ласкать свое тело. Я вдруг подумала о том, что осталась одна, без мужчины, и сейчас никто не сможет меня удовлетворить. Закончился даже надоевший семейный секс. «Ну и черт с ним, — решила я. — Если никто не может меня удовлетворить, то я сделаю это сама».

Еще раз с удовольствием оглядев себя в зеркале, я подмигнула своему отражению и вышла из дома. Я шла по вечерней Ялте и улыбалась всем, кто проходил мимо. Окружающие с опаской смотрели мне вслед и, по всей вероятности, думали, что я не в себе. Ну и пусть, мне наплевать. Легкая хромота придавала мне дополнительный шарм. Мужчины провожали меня восхищенными взглядами.

— Ты прелесть, — сказал какой-то господин. — Я готов тебя съесть.

— Подавишься, — усмехнулась я и прошла мимо.

— Я могу составить вам компанию, — вежливо предложил молодой паренек и пристроился рядом.

— Нет, милый, детское время уже вышло, — весело засмеялась я. — Возьми свои игрушки и иди домой спать.

Пройдя еще несколько шагов, я уперлась в грудь шкафоподобного мордоворота и попыталась его обойти.

— Какие планы на вечер? — облизнувшись, спросил мордоворот.

— Мои планы не имеют к тебе никакого отношения.

— Может, перепихнемся?

— Жлоб неотесанный! — злобно крикнула я и обошла этого громилу.

— Ты еще за жлоба ответишь! — донеслось мне вслед.

Я зашла в ресторан, стоящий на самом берегу моря и напоминающий корабль. Я села за столик и заказала порцию виски. Не прошло и пяти минут, как рядом со мной очутился некий тип, который просто из кожи лез, чтобы завоевать мое расположение. Скоро я почувствовала опьянение. И немудрено — сегодня я так перенервничала и так устала.

Я с удовольствием разговорилась с новым курортником. Это был мужчина примерно сорока лет, приехавший в Ялту из Ленинграда за новыми ощущениями. Мы поглощали какой-то нехитрый ужин, пили виски в больших количествах и много смеялись. Музыка гремела так сильно, что нам приходилось громко кричать и жестикулировать.

— Я приехала из Москвы, чтобы окунуться в курортный роман! — громко прокричала я пьяным голосом и приобняла своего нового знакомого.

— С головой?

— Полностью! — вновь прокричала я.

— Я здесь с этой же целью, только приехал из Ленинграда! — кричал мне в ухо мой новый курортник.

— Здорово!

— Ты замужем?

— На курорте все холосты! — смеялась я.

— Это точно! — поддержал меня новый курортник и налил мне виски.

Подержав стакан в руках, я посмотрела на него пьяным взглядом и удивилась: вместо одного стакана я увидела целых три.

— Какого черта ты дал мне три стакана! — стукнула я кулаком по столу.

— Тут всего один, — растерялся он.

— Эй, милый, я не могу пить виски без льда! — я поставила стакан на стол.

— Ты уже полбутылки выпила без льда, и ничего, — обиделся новый курортник.

— Я хочу льда!

— Да будет тебе лед, только не кричи, — перепугался он и подозвал официантку.

— А ты озорная девчонка! — игриво произнес он пьяным голосом и окинул меня недвусмысленным взглядом.

— Тоже мне, нашел девчонку, — прыснула я. — Ты хоть знаешь, сколько мне лет?! Где же ты был, когда я была девчонкой?!

— А где была ты, когда я был мальчишкой?! — зашелся он пьяным смехом. — Тебе ведь двадцать пять, не больше.

— Боже мой, если бы мне было двадцать пять! — истерично воскликнула я. — Если бы мне было двадцать пять, я бы чувствовала себя самой счастливой женщиной на свете! Все мужчины были бы у моих ног.

— На тебя и так весь ресторан смотрит. Я, чтобы сесть за твой столик, официантке двадцать баксов дал.

— Двадцать баксов — мелочь, — махнула я рукой и чмокнула нового курортника в щеку. — Послушай, парень, а ты мне определенно нравишься! Ты, наверно, романтик! Уж не закрутить ли нам с тобой курортный роман?!

Подошла официантка, положила несколько кусочков льда в мой стакан.

— Спиртное надо всегда пить со льдом! — провозгласила я. — Так пьют все цивилизованные люди! Я просто обожаю виски с крохотными кусочками льда!

Я посмотрела на курортника и с ужасом поняла, что он тоже троится. Я еще отхлебнула виски и закусила кусочками льда.

— Ты мне нравишься! — прокричал курортник, пытаясь пробиться сквозь грохот музыки. — Ты вообще без тормозов!

Я засмеялась и чуть было не упала со стула.

— Милый, свои тормоза я потеряла еще в шестнадцать! — прокричала я.

— Мне кажется, что я в тебя уже влюблен, — пьяный курортник поцеловал меня в губы.

— Ещс скажи, что ты хочсшь на мнс жсниться! — истерично засмеялась я. — Ты готов на мне жениться и жить со мной счастливой семейной жизнью, но только с одним условием — чтобы об этом ничего не узнала твоя жена!

Я почувствовала, что напилась до такой степени, что не смогу встать. Мои волосы были взъерошены, бретелька платья свалилась с плеча. Курортник скинул вторую бретельку и жадно поцеловал мою шею. Я громко засмеялась и вдруг резко замолчала: неподалеку от нашего столика стоял Олег и изумленно смотрел на меня. Я замахала ему рукой, приглашая за свой столик.

— Нажралась, как дешевая шлюха, — процедил сквозь зубы Олег, подойдя к нам.

— Это кто, муж? — испуганно спросил мой новый курортник и мгновенно отодвинулся от меня.

Я положила руку ему на плечо и поцеловала его в щеку:

— Я уже объяснила тебе, что на курорте все и всегда холосты!

Олег поднял меня за плечи и хорошенько встряхнул:

— Ты хоть понимаешь, на кого ты похожа? На тебя весь ресторан смотрит!

— Ну и пусть! — прокричала я пьяным голосом. — Было бы хуже, если бы на меня вообще никто не смотрел! Присаживайся, отдыхай! А хочешь, мы развлечемся? Хочешь, мы сделаем это втроем?! Как ты относишься к групповому сексу?

Олег отвесил мне крепкую пощечину. И почти волоком потащил меня к выходу.

— Пусти! — громко кричала я, пытаясь вырваться.

— Шлюха! Я тебе такой групповой секс покажу, что тебе никогда в жизни не захочется им заниматься!

Расталкивая удивленных прохожих, Олег дотащил меня до берега и окунул в воду — раз, другой, третий...

— Ну что, отошла? — спросил он, усадил меня рядом с собой на лежак и закурил.

— Отошла, — еле слышно ответила я и поняла, что протрезвела.

Мы сидели совершенно мокрые и молча смотрели на море.

— Когда я увидел тебя в ресторане с этим пижоном, мне захотелось убить тебя. Противно было смотреть. Где Лерка? Я был дома, и мать сказала, что ты забрала ее.

— У Катькиной матери, — сказала я.

— Не видел женщины более развратной. — Олег со злостью швырнул сигарету в воду.

— Это значит, что ты вообще никогда не видел развратных женщин, — автоматически парировала я.

— Я знаю, что ты нашла конверт, — продолжал Олег. — Я увидел его на кровати. Бросился к Катьке в больницу. Она сказала, что по себе знает — когда человеку плохо, он идет туда, где люди. Я забежал в первый попавшийся ресторан и увидел тебя...

## ГЛАВА 21

Не помню, сколько мы молча просидели на берегу.

— Олег, кто ты? — наконец спросила я.

— Ты прекрасно знаешь, я бизнесмен из Бремена.

— Ты не только бизнесмен, ты еще и убийца. Зачем ты организовал смерть Мазая?

— Понимаешь, Наташа, я уже давно хотел тебе все рассказать, но не решался. Я не знал, как ты отреагируешь.

— А как я должна реагировать, едва не погибнув вместе с Мазаем?

— Именно поэтому я не мог тебе что-нибудь рассказать. Заказав смерть своего заклятого врага, я чуть было не заказал смерть женщины, которую успел полюбить. В этот раз я приехал из Германии не случайно. Приехал, чтобы расквитаться с Мазаем и спокойно заниматься своим бизнесом.

— Ты знал Мазая раньше?

— Много лет назад, до эмиграции, я пытался организовать бизнес здесь, в Ялте. У меня получилось. Но появились люди, которые пытались навязать мне свое покровительство.

— Одним из этих людей был Мазай?

— Мазай, — подтвердил Олег.

— По-моему, много лет назад вообще не было бизнеса, — заметила я. — Много лет назад была спекуляция.

— Совсем не важно, как это называлось. Все эти годы Мазай мне мешал, совал свой нос в мои дела, даже когда я уехал, а он остался в своей затрапезной Ялте. Мазай — мой одноклассник. Просто каждый из нас пошел своим путем. У меня была тысяча причин его ликвидировать.

— А ты хоть на минутку задумался, что смерть грозила не только Мазаю?

Олег прижал меня к себе:

— Я как об этом подумаю, меня всего наизнанку выворачивает. Но, видно, все-таки Бог на свете есть. Мазай накрыл тебя своим телом. Он был конченый подонок, пойми, от его смерти никому не сделалось хуже, даже тебе.

— Ты что, забыл, что было со мной после его смерти? — Я отодвинулась от Олега. — Это совсем не смешно. Почему ты не рассказал мне все раньше?

— Я не мог. У меня просто язык не поворачивался.

— Ты заплатил киллеру двадцать тысяч долларов?

— Десятку. Десятку я должен был отдать сегодня, но он не пришел.

— Почему?

— Если бы я мог знать! Я сам ломаю голову над этим вопросом. Только дурак может отказаться от денег. Не нравится мне это.

Олег потрогал мое мокрое платье и испуганно произнес:

— Господи, да ты вся дрожишь! Ты замерзла? Может, пойдем ко мне домой? Я перед тобой так виноват, что и не представляю, чем искупить свою вину.

— Ты ни в чем передо мной не виноват. В конце концов ты тогда даже не подозревал о моем существовании.

— Наташ, ты вся дрожишь. Пошли домой.

— Не хочу. Лучше сходи в ресторан и принеси бутылочку виски.

— Со льдом? — Олег заметно оживился. — Мне бы сейчас самому не мешало что-нибудь выпить. Я, когда увидел тебя с этим пижоном, чуть концы не отдал. Хорошо, что сразу сообразил — ты это сделала назло мне. За тобой глаз да глаз нужен. Ладно, я сейчас быстро до ресторана и обратно. Не вздумай никуда уходить.

Олег исчез в темноте. Я встала, решив походить по берегу, чтобы согреться. Неожиданно появился какой-то незнакомый человек и ткнул мне в грудь холодное жесткое дуло пистолета.

— Ну, сука, если бы ты только знала, как я устал за тобой охотиться! — проговорил он.

— Кто ты? — едва слышно спросила я.

— Твоя смерть, дорогуша. Твоя смерть.

Он был совершенно невзрачен, напоминал маленького серенького человечка из какой-нибудь детской сказки. Только в глазах горел зловещий огонь и такая злоба, что бросало в дрожь.

— Что тебе нужно? — в отчаянии вскрикнула я.

— Сейчас узнаешь! — Он ехидно засмеялся и снял пистолет с предохранителя. — Ты меня достала. Живучая, падла. Не будешь больше гранатами бросаться!

— Откуда ты знаешь про гранаты?

— Одной из них ты меня чуть было жизни не лишила. Сейчас ты примешь смерть. Больше не промахнусь, как у «Интуриста» и тогда на пляже.

Я затряслась, словно в лихорадке, и всхлипнула.

— Но почему? Что я тебе сделала? Я вообще не знаю, кто ты такой! — прошептала я, словно в бреду, и попятилась.

Раздался выстрел. Я закрыла лицо руками. Странно, но у меня ничего не болело, а может быть, я просто уже не чувствовала боли... Я не понимала, почему я не теряю сознание, не падаю на песок.

— Наташка, ты в порядке? — донесся как будто издалека голос Олега.

Я открыла глаза: Олег стоял рядом и смотрел на лежащего на песке незнакомца.

— Олег, я не смог прийти на контрольную стрелку, потому что должен был убрать эту суку, — прохрипел он. — Ты же знаешь, я все делаю чисто, всегда убираю последнего свидетеля. Я видел, как ты резвился с этой бабой на пляже. Ты просто не знал, что в тот вечер, когда я убил Мазая, она была рядом с ним. Это его баба, Мазай закрыл ее своим телом...

— Это не баба Мазая. Это моя любимая женщина, — усмехнулся Олег.

Незнакомцу не дано было услышать эти слова, он дернулся и застыл.

— Нужно срочно уносить отсюда ноги, — торопливо проговорил Олег. — Мы ничего не видели, ничего не слышали и ничего не знаем.

Я шла рядом с Олегом, слезы, не переставая, лились из моих глаз. Олег остановился.

— Наташенька, перестань, все самое страшное уже позади! Слышишь, все позади! — уговаривал он меня.

— Да пошел ты! — отмахнулась я и, завидев канатную дорогу, ускорила шаг. — Если бы ты только знал, как ты мне надоел вместе со своими киллерами и бумагами! И какого хрена я с тобой связалась!

— Ну прости, прости меня, — повторял Олег, пытаясь меня догнать.

Я заскочила в подвесную кабину. Олег успел только в следующую.

— Какого черта ты не стала меня ждать?! — крикнул он. — Будем теперь, как два идиота, ездить в разных кабинках?

— Я с тобой в одной кабине ни за что не поеду!

— Ну что я должен сделать, чтобы ты меня простила?!

Кабины резко остановились и застыли в воздухе. Я встала и посмотрела на Олега:

— Если ты хочешь, чтобы я тебя простила, перелезай ко мне!

— Наташка, но ведь я могу разбиться! — растерялся Олег.

— Тогда сиди в своей кабине непрощенный!

Держа в одной руке бутылку виски, Олег вылез из своей кабины, схватился за железный канат и стал медленно продвигаться ко мне. Рука, державшая и бутылку, и канат, сорвалась, и Олег чуть было не полетел вниз вслед за бутылкой. Я вскрикнула.

— Олежка, не надо, — взмолилась я. — Вернись. Вдруг кабины сейчас поедут?

Когда он добрался почти до середины, я не выдержала и закрыла лицо руками.

— Скажи, что ты меня простила, — сказал он, забираясь в мою кабину.

— Простила, простила, простила! — прокричала я и бросилась в его объятия.

— Ты хочешь заниматься этим прямо здесь? — рассмеялся Олег.

— А почему бы и нет! Это же так здорово, на высоте птичьего полета!

— А если проедет кто-нибудь из отдыхающих?

— Уже ночь. Никого нет. Все кабины пустые.

— Ну а если кто-то проедет?

— Пусть этот кто-то закроет глаза и отвернется или пусть смотрит и завидует!

Я полностью отдалась охватившей меня страсти.

...Через два дня мы приехали за Катькой в больницу, забрали ее домой, а потом устроили прощальный вечер. Я улетела в Москву, а Олег — в Бремен. Мы сидели в «Интуристе», пили шампанское и с нетерпением ждали выхода Катьки. Олег просматривал газеты. Отыскав последнюю криминальную хронику, он показал мне сообщение о том, что в Ялте произошли крупные криминальные разборки.

«Полегло довольно много братков, среди которых выделялись двое — известный крымский авторитет по кличке Глобус и его друг, приехавший к нему в гости на несколько дней». Олег отложил газету и посмотрел на меня довольным взглядом:

— Вот видишь, все-таки среди тех двоих, которых мы уложили прошлой ночью, был и тот авторитет, голос которого тебе был незнаком.

Я весело подмигнула и подняла свой бокал. Олег последовал моему примеру. На сцену вышла Катерина, взяла микрофон и помахала нам рукой. Как только она запела, Олег пригласил меня танцевать, и мы стали медленно кружиться у самой сцены.

— Здорово поет, — растроганно сказала я и уткнулась Олегу в плечо.

— Как ты думаешь, ради такого чудесного голоса стоит наведаться в Ялту еще раз? — спросил он.

— Ты предлагаешь провести следующий отпуск именно здесь?

— А почему бы и нет...

— В этом что-то есть, — засмеялась я. — Только с одним условием. Обещай, что в следующий курортный сезон тебе не понадобится никого устранять. Ни партнеров, ни конкурентов.

— Обещаю, — шепнул Олег и нежно поцеловал меня.

## ЭПИЛОГ

Я сидела в своей московской квартире, поджав под себя ноги, и наблюдала за тем, как Димка готовит обед. Мое горло было повязано шарфом — вот уже вторую неделю я болела. Димка вытер руки и подошел ко мне:

— Давай градусник.

Я протянула градусник и посмотрела на него глазами, полными надежды.

— Дим, ну что там?

— Плохи твои дела, подруга. Тридцать девять. Ну-ка быстро в постель.

— Нет. Я больше лежать не могу. Я себе уже все бока отлежала. Проклятая температура. Ничем не сбивается.

— Сейчас будет готов бульон. Попьешь горячего. Если бы я не приехал, ты бы, наверно, умерла с голоду. Может, «Скорую» вызовем?

— Сама выкарабкаюсь.

Напоив меня горячим бульоном, Димка принялся за уборку. Как все-таки здорово, что он у мне есть...

— Ну что ты так на меня смотришь? — поднял голову Димка.

— Не знаю. Я вдруг подумала, что без тебя я бы пропала.

— Нашла бы еще одного такого же идиота, — беззлобно сказал Димка и продолжал свое дело.

Зазвонил телефон, и я уже хотела было встать, но Димка резко меня осадил и пригрозил пальцем:

— Лежи. Я принесу.

— Курортник хренов звонит, — проворчал он, передавая мне телефонную трубку.

— Олег? — обрадовалась я.

— Ну да. Или у тебя появился кто-то другой?

— Нет. Курортник у меня один-единственный.

Услышав в трубке знакомый голос, я улыбнулась и почувствовала, как у меня моментально понизилась температура.

— Привет. Ты когда в Бремен собираешься? — Олег явно волновался, и его волнение передавалось мне.

— Как-нибудь соберусь.

— Навсегда?

— Нет! — засмеялась я.

— Я уволил Вадика, — сообщил Олег.

— Молодец! С ними только так и надо.

— Я хочу взять на его место тебя.

— О, это заманчивое предложение, — сказала

я и посмотрела на обиженного Димку. — Я обязательно над этим подумаю.

— Если не хочешь выходить за меня замуж, то хотя бы устраивайся ко мне на работу, на место Вадика. А можешь совмещать две должности сразу.

— А это идея. Только сейчас я болею гриппом.

— И конечно же, рядом с тобой Димка...

— Конечно. Он передает тебе привет.

Димка покрутил пальцем у виска и вышел из комнаты.

— Скажи, ты хоть немного по мне скучаешь? — с волнением спросил Олег.

— Скучаю, — призналась я.

— Хочешь, я завтра вылечу к тебе первым же самолетом?

— Нет, подожди. Я еще к этому не готова.

— Почему?

— Потому что тогда это уже будет никакой не курортный роман.

— Тогда приезжай сама. Не можем же мы встречаться всего один раз в год на курорте, — засмеялся Олег. — Ладно, я позвоню тебе завтра. Выздоравливай.

— До завтра, — улыбнулась я.

— Он что, звонит тебе каждый день? — спросил Димка, входя в комнату.

— Каждый. А что такого?

— Ни фига себе, столько на переговоры тратит!

— Я женщина дорогая. На мне экономить нельзя, — решительно заявила я, поддразнивая Димку.

— До отъезда в Ялту ты убеждала меня в том, что курортный роман не имеет продолжения.

— Но ведь бывают из правил исключения. Возможно, этот роман какой-то особенный, не такой, как другие.

Димка внимательно посмотрел на меня:

— Слушай, Наташка, а ты случайно не влюбилась?

Я тяжело вздохнула и растерянно пожала плечами:

— Наверно, в том-то и вся загвоздка. Если бы я влюбилась, то уже давно была бы в Бремене. Ты меня знаешь.

Димка удовлетворенно кивнул.

Через несколько дней я выздоровела. Прошла неделя, другая, и я почувствовала, что в моей жизни чего-то не хватает. Я поняла, что не хватает курортного романа.

Взяв билет на самолет, я захожу в салон, сажусь поудобнее и лечу в Германию. Я еще и сама не решила, зачем я лечу — за острыми ощущениями, за воспоминаниями, а может, просто потому, что я увидела любовь... Как только самолет приземлился, я сбежала по трапу и увидела ЕГО,

МОЕГО КУРОРТНИКА. Он махал мне рукой и посылал воздушные поцелуи. Выронив сумку, я бросилась со всех ног и, словно девчонка, повисла у него на шее.

— Место Вадима еще не занято? — спросила я.

— Нет, я держу его для тебя, — засмеялся Олег и прижал меня к себе. — Вторая вакансия тоже свободна.

Мы оба засмеялись и слились в страстном поцелуе...

## ПОСЛЕСЛОВИЕ

Дорогие мои и любимые читатели, мне хочется напомнить вам о том, что моя акция «Прощать необязательно» продолжается и я, как и прежде, жду ваших писем. Пусть те читатели, на чьи письма я еще не ответила, ни в коем случае не отчаиваются и не думают, что они послали свое письмо в пустоту или то, что я просто не посчитала нужным ответить на ваш крик души. Это далеко не так. Просто я и сама не ожидала, что ваших писем придет так много, что в наш век власти компьютера люди по-прежнему любят писать душевные и искренние письма, что в нашей стране так много одиноких людей, которым не с кем поделиться своими переживаниями. Я бесконечно благодарна вам за то, что вы мне пишете, потому что вы мне верите. Я постараюсь оправдать ваше доверие и сделать так, чтобы вы чувствовали во мне плечо своего надежного друга. У вас нет друзей? Я предлагаю вам свою дружбу, и даже если они у вас есть, то еще одни дружеские и доверительные отношения вряд ли вам помешают. Я отвечаю на ваши письма, как только появляется свободная минутка. Одним читателям я пишу письма от руки, а на некоторые письма я отвечаю в конце каждой своей книги. Для меня нет и не бывает неинтересных и ненужных историй. Для меня дорого каждое ваше письмо и каждое ваше слово. Если я еще не ответила на ваше письмо, то не расстраивайтесь, я обязательно на него отвечу либо на страницах своего романа, либо в конце своей книги. А самые интересные женские судьбы обязательно лягут в основу моего нового романа. Если вам плохо на душе, вам не с кем поговорить и некому излить свою душу, то обязательно пишите мне, и вы можете не сомневаться, что на страницах моего романа ваш обидчик будет наказан. Давайте вместе понаблюдаем за тем, как действует сила слова и как она влияет на нашу реальную жизнь.

Некоторые читательницы упрекают меня в том, что все героини моих романов слишком красивы. Мол, что же делать нам, тем, кто не слишком красив и не имеет хорошей фигуры? Что делать тем, для кого не подходит фраза, что красота — это достаточно весомое оружие в руках женщины? Если я отвечу вам на это фразой, что не бывает некрасивых женщин, а бывают только те женщины, которые не хотят быть красивыми, то буду слишком банальна. Нет, дорогие мои, я отвечу вам по-другому. Героини моих романов себя ценят и любят, и даже если они не любят себя в начале книги, то обязательно настанет момент, когда они смогут себя полюбить, а если женщина сможет себя полюбить и внушить сама себе, что она красива, то ее смогут полюбить и остальные, которые, несомненно, поддадутся ее самовнушению. Само понятие красоты включает в себя не только внешность, но и внутренний магнетизм, и женское очарование. История полна примеров, когда совершенно обычная девушка, не отличающаяся ни красивым лицом, ни эффектной фигурой, притягивает к себе мужчин и меняет своих кавалеров, словно перчатки. А какая-нибудь красотка сидит в одиночестве и не может понять, почему она совершенно не интересует мужчин. Одним словом, счастье в наших руках, а счастье — это не отборочный тур какого-нибудь конкурса красоты.

Мои героини красивы, потому что они в это верят. Так поверьте и вы в то, что вы очень красивая женщина. Не бойтесь подходить к зеркалу и постарайтесь полюбить свое отражение. Самое главное — блеск в глазах и жизнерадостное лицо. Даже если на вас не обращают внимание мужчины, то вы представьте, что у вас от них нет отбоя и что они выстроились в очередь для того, чтобы познакомиться с вами. Какая бы вы ни были, вы достойны любви. Не стоит сетовать по поводу того, что вы некрасивы. Начните с себя, со своей души. Приучите себя к своему отражению в зеркале, полюбите свое лицо и каждую складочку на своем теле. Какая бы она ни была, но она ваша, и она родная. Займитесь самовнушением. Внушите себе, что вы чертовски привлекательны и неотразимы, что весь мир лежит у ваших ног, что у вас все еще впереди. Не сомневайтесь в себе, потому что сомнения разрушают душу. В который раз я напоминаю вам о том, что вы у себя одна. Примите себя такой, какая вы есть. Ваши возможности безграничны, и не стоит в них сомневаться. Если вы ни грамма себя не любите и не цените, считаете себя некрасивой, нескладной, неудачницей и неумехой, занимаетесь постоянным самоуничтожением и самоедством, терпеть не можете смотреть на себя в зеркало, а порой и просто себя ненавидите, то почему кто-то должен вас полюбить и относиться к вам с добротой и трепетом? Почему, если вы так относитесь к себе сами? Никогда не говорите о себе плохо, потому что мир полон завистников и недоброжелателей. Обязательно найдется тот, кто сможет это сделать за вас. Так что говорите о себе только хорошее, гоните прочь любой сказанный в вашу сторону негатив. Это не ваши проблемы, это проблемы тех, кто распускает слухи и не может успокоиться от того, что вы в полном порядке и у вас все хорошо.

Любовь к себе — это не какой-то порок. Это

хорошее и здоровое чувство. Научиться любить себя совсем не просто, и все же, когда это произойдет, в вашей жизни все сложится совсем по-другому. Полюбите себя полной, больной, с большим носом и совсем не с таким разрезом глаз, как вам бы хотелось. Не откладывайте эту любовь на потом. Начинайте любить себя сегодня, сейчас. Пусть это будет происходить постепенно, но когда этот процесс завершится, на вашем лице появится жизнерадостная улыбка и вы поймете, что вы самая привлекательная и обаятельная, то вы увидите, как в этой жизни все пойдет совсем по-другому. Вы вдруг начнете радоваться жизни и сразу обратите внимание на то, что люди станут смотреть на вас по-особому. В их глазах появится интерес. А что касается мужчин... то зачастую мужчины, как дети, легко внушаемы. Уж вы-то всегда сможете внушить вашему мужчине то, что ему повезло, потому что в его руки приплыла фортуна и жизнь наградила его бесценным призом — это вами.

Мне больно читать письма женщин, которым чуть за сорок, потому что они пишут о том, что жизнь прошла мимо, движется к своему завершению и все самое хорошее уже позади. Милые мои читательницы! И в шестнадцать, и в тридцать, и в пятьдесят все еще впереди! Любовь не зависит от возраста, да и личная жизнь тоже. Единственное, что с возрастом мы начинаем лучше разбираться в наших мужчинах и обращаем внимание на те недостатки, которые нам не были заметны в молодости. И все же при знакомстве с мужчиной лучше начинать искать его достоинства, а не недостатки. Это нелегко, но все же стоит попробовать. Зачем начинать с плохого? Давайте начнем с хорошего. В наше время так повелось, что если мужчина не замечен в интимных связях с другим мужчиной и психически здоров, то это уже огромный плюс, а если он еще при этих неоценимых достоинствах не болен алкоголизмом, то это уже заслуживает неподдельного уважения и его вполне можно рассматривать как кандидата для обустройства своей личной жизни.

Я хочу, чтобы все мы научились радоваться жизни. Давайте посмотрим на этот мир глазами красивой, неунывающей и жизнерадостной женщины. Посмотрите, сколько же вокруг красоты. Если вам уже никто давно не дарит цветы, то ничего страшного не будет в том, если вы самостоятельно купите букет себе, любимой. Придите домой, поставьте цветы в свою вазу и не вздумайте тосковать по поводу того, что вы купили их себе сами. Придет время, и вы получите долгожданный букет из мужских рук, нужно только чуточку подождать и приложить к этому совсем немного усилий, избавляясь от жутко вредной привычки постоянно ожидать от жизни только плохого. Просто тот, кто должен подарить вам этот букет, точно так же вас ищет, ходит по улицам, всматривается в лица прохожих в надежде увидеть ваше родное лицо. В конце концов, в нашем обществе уже не бытует то мнение, когда женщину оценивали лишь по тому, замужем она или нет. Быть замужем или оставаться свободной, решать только самой женщине. Ведь женщина может быть одинока и в браке. Я получаю письма от женщин, которые называют свой брак всего одной фразой: «две зубные щетки в одном стаканчике, и ничего более».

Не нужно никогда забывать, что наши мужчины тоже имеют право на счастье. Право на собственные чувства, мысли, решения, свободу выбора и поступки.

Я никогда не могла назвать себя везучей, даже сейчас, но однажды я поняла, что везет только тем, кто сможет взять судьбу в свои руки. Я пришла к истине, что все наши несчастья порождаются неизрасходованными душевными силами. Так давайте будем дарить друг другу тепло, улыбки и многочисленные комплименты. Мы все мечтаем о человеке, который бы укрыл нас от жизненных проблем, снял с нас тяжелый груз бытовых и моральных проблем и положил его на свои плечи. Мы все хотим очутиться за каменной стеной, но забываем о том, что в этой жизни нужно рассчитывать только на себя и на свои собственные силы. Иногда каменная стена может рухнуть, обрушиться и тебя придавить. Об этом говорят ваши письма, ваши истории и мой жизненный опыт.

Моя акция «Прощать необязательно» набирает обороты, и я с замиранием сердца заглядываю в свой почтовый ящик для того, чтобы найти в нем ваши письма. Вы пишете мне о предавших вас мужьях, любовниках, двоеженцах, аферистах, альфонсах, бюрократах, хамах-чиновниках и просто о том, что цены дико растут, жить становится все сложнее, рухнули последние надежды о покупке собственного жилья, а на огороде в этом году плохой урожай. Мне пишут письма жены и любовницы, и я не вправе никого осуждать, потому что жизнь женщины такова, что она не застрахована от того, что сегодня она является женой, а завтра может последовать развод и жизнь предоставит ей сценарий любовницы.

Самые интересные истории будут отображены на страницах моих следующих книг, а в начале каждой книги, как и прежде, будет написано посвящение реальной женщине с точно такой же реальной судьбой. Мне также хочется напомнить вам о том, что вы можете задавать мне вопросы, на которые я буду давать ответы в конце своих книг. Пишите мне по адресу: 125190, Москва абонентский ящик 209.

*С БЕСКОНЕЧНОЙ ЛЮБОВЬЮ*
*АВТОР И ДРУГ ЮЛИЯ ШИЛОВА.*

## ОТВЕТЫ НА ПИСЬМА

1. ЗДРАВСТВУЙТЕ, УВАЖАЕМАЯ ЮЛИЯ. ПИШЕТ ВАМ ОБЫКНОВЕННЫЙ МУЖЧИНА 55 ЛЕТ, КОТОРЫЙ ХОЧЕТ СПРОСИТЬ ВАС О ТОМ, ПОЧЕМУ ВЫ РАССМАТРИВАЕТЕ ТОЛЬКО ТЕМУ МУЖСКОГО НАСИЛИЯ И НЕ ХОТИТЕ ЗАТРАГИВАТЬ ЖЕНСКОЕ НАСИЛИЕ? Я, ЗАТЮКАННЫЙ ЖИЗНЬЮ И ЖЕНОЙ-ПИЛОЙ МУЖ, КОТОРОГО ПИЛЯТ С УТРА ДО НОЧИ ЧТО ДЕТИ, ЧТО СОБСТВЕННАЯ ЖЕНА, УНИЖАЮТ, ОСКОРБЛЯЮТ, ТРЕБУЮТ ДЕНЕГ И САМЫМ НАТУРАЛЬНЫМ ОБРАЗОМ ТОЛКАЮТ В МОГИЛУ. ВОТ У ВАС КНИГА ТАКАЯ ЕСТЬ «ЖЕНЩИНА В КЛЕТКЕ», А Я МУЖЧИНА В КЛЕТКЕ, К КОТОРОМУ ПРИСОСАЛАСЬ ЖЕНА-ПИЯВКА. ПРИЧЕМ ОНА МОЖЕТ ЗАПРОСТО ПОДНЯТЬ НА МЕНЯ РУКУ, А ОДИН РАЗ, В ПРЯМОМ СМЫСЛЕ ЭТОГО СЛОВА, ИЗБИЛА МЕНЯ ПОВАРЕШКОЙ. ВАМ СМЕШНО? А МНЕ НЕТ. ВЫ СКАЖЕТЕ, ЧТО Я ТЮФЯК И НЕ МОГУ ЗА СЕБЯ ЗАСТУПИТЬСЯ, НО Я ПРОСТО ИНТЕЛЛИГЕНТНЫЙ И ВОСПИТАННЫЙ ЧЕЛОВЕК. Я НЕ МОГУ ПОДНЯТЬ РУКУ НА ЖЕНЩИНУ. У МЕНЯ ТАКОЙ КУЛАК, ЧТО Я ОТПРАВЛЮ ЕЕ НА ТОТ СВЕТ С ОДНОГО УДАРА.

УДАРИТЬ ЖЕНЩИНУ ДЛЯ МЕНЯ НИЖЕ МОЕГО ДОСТОИНСТВА, НО ЖЕНА ХОРОШО ЭТИМ ПОЛЬЗУЕТСЯ И ТАК И ВЫПРАШИВАЕТ, ЧТОБЫ Я НЕ СДЕРЖАЛСЯ И НАНЕС САМЫЙ СОКРУШИТЕЛЬНЫЙ УДАР В ЕЕ ЖИЗНИ. Я НЕ ШУЧУ, ПОТОМУ ЧТО Я УЖЕ ДОВЕДЕННЫЙ ДО ОТЧАЯНИЯ МУЖЧИНА. МНЕ ЖИЗНЬ НЕ МИЛА. Я УСТАЛ ОТ ПОСТОЯННЫХ КРИКОВ, РУГАНИ И РАЗГОВОРОВ О ТОМ, ЧТО Я ЗРЯ ЕМ СВОЙ ХЛЕБ, Я НЕУДАЧНИК И НЕ МОГУ ОБЕСПЕЧИТЬ СВОЮ СЕМЬЮ. КОНЕЧНО, ВЫ ПРЕДЛОЖИТЕ МНЕ РАЗВЕСТИСЬ, НО КУДА Я ПОЙДУ? КОМУ Я НУЖЕН? НЕ МОГУ ЖЕ Я ДЕЛИТЬ КВАРТИРУ И ОТНИМАТЬ ЕЕ У МОИХ ДЕТЕЙ? КАК ДАЛЬШЕ ЖИТЬ? ПОЧЕМУ ЖЕНЩИНЫ ДУМАЮТ, ЧТО МУЖЧИНА КОРЕНЬ ВСЕГО ЗЛА НА ЗЕМЛЕ? ПОЧЕМУ МЫ ЖЕНИМСЯ НА СКРОМНЫХ ДЕВУШКАХ, КОТОРЫЕ СЛЕЗНО УГОВАРИВАЮТ НАС ЖЕНИТЬСЯ, СМОТРЯТ НА НАС ОТКРЫВ РОТ, ПРИМЕРЯЯ ФАТУ И ПОДВЕНЕЧНОЕ ПЛАТЬЕ, А В РЕЗУЛЬТАТЕ ПОЛУЧАЕМ ЖЕНУ-ПИЯВКУ, КОТОРАЯ ПИЛИТ НАС С УТРА ДО НОЧИ, УНИЧТОЖАЕТ МОРАЛЬНО, УСТРАИВАЕТ МАТРИАРХАТ И НЕНАВИДИТ МЕНЯ ЛЮТОЙ НЕНАВИСТЬЮ ЗА ТО, ЧТО Я ЯКОБЫ ОТРАВЛЯЮ ЕЙ ЖИЗНЬ? ПОЧЕМУ ВЫ НЕ ПИШЕТЕ О ТОМ, ЧТО, ВСТУПАЯ В БРАК, МУЖЧИНА ВСТАЕТ НА ТРОПУ БЕСКОНЕЧНОЙ ВОЙНЫ И ПОДВЕРГАЕТ СЕБЯ СТРАШНОМУ РИСКУ? ГДЕ КРИЗИСНЫЕ ЦЕНТРЫ ДЛЯ НАС, МУЖЧИН, ПЕРЕЖИВАЮЩИХ ДОМАШНЕЕ МОРАЛЬНОЕ И СЕКСУ-

АЛЬНОЕ НАСИЛИЕ? Я С УДОВОЛЬСТВИЕМ ЧИТАЮ ВАШИ КНИГИ, А МОЯ ПИЯВКА ВООБЩЕ НИЧЕГО НЕ ЧИТАЕТ, ГОВОРИТ, НЕКОГДА, А САМА ТОЛЬКО СЕРИАЛЫ И СМОТРИТ. ВЫ ТУТ КАК-ТО ВСЕ БОЛЬШЕ О ЖЕНЩИНАХ РАССУЖДАЕТЕ, А ПОРАССУЖДАЙТЕ О НАС, МУЖЧИНАХ.

*С ПОЧТЕНИЕМ.*
*ОЛЕГ ИГОРЕВИЧ. ПЕНЗА.*

Уважаемый Олег Игоревич, не буду скрывать, что ваше письмо привело меня в легкий шок. Признаюсь честно, что мне как-то ближе и понятнее женские проблемы, потому что у нас так заведено, что все мужские проблемы мужчины могут решать самостоятельно. Ваша ситуация действительно нестандартная. Я владею информацией по поводу кризисных центров и приютов для женщин и детей, переживших домашнее физическое и моральное насилие, и я знаю, что во многих городах собираются делать приюты для мужчин, которые в полной мере ощутили на себе проблему женского насилия.

Знаете, вы натолкнули меня на мысль обязательно рассмотреть эту проблему в одной из своих книг. Я не отрицаю, что женское насилие есть, а женская жестокость набирает все более ощутимые обороты. Во многих браках мужчины более пассивны, чем женщины, и у них свои понятия о материальных ценностях, необходимых для обеспечения своей семьи. Понимая, что до мужа тяжело достучаться, неудовлетворенность женщины растет и приводит к агрессии. Видимо, вы слишком много позволяли своей жене, прятали в дальний угол свое самоуважение и чувство собственного достоинства, позволяя своей жене править и властвовать над вашей совместной жизнью. Своей излишней деликатностью и уступчивостью вы обесценили себя в глазах своей жены и детей. Женщины ценят в мужчине такие качества, как воля, решительность и мужество. Вы сами позволили себя постоянно критиковать, развили в себе комплекс неполноценности и разрешили вашей жене решать все за вас. Как вы позволили, чтобы жена отходила вас поварешкой? Простите, но вы просто обязаны были защититься, не довести ситуацию до абсурда и одним своим грозным взглядом остановить свою жену. Жена подавила вас своим авторитетом и устроила вам настоящую диктатуру. Только, пожалуйста, читая мое письмо, не вздумайте нанести ей сокрушительный удар, а то ведь недалеко до беды.

Наша история полна примеров того, что женщины могут издеваться, насиловать, мучить, убивать и быть весьма опасными преступницами. И все же я являюсь адвокатом наших женщин и в своих книгах пытаюсь рассмотреть те мотивации и поступки, которые толкают наших женщин на преступление и рождают в их душах и характерах чрезмерную агрессивность.

Домашнее насилие страшная вещь, особенно когда происходит домашнее насилие над мозгами мужчины. Уважаемый Олег Игоревич, если вы считаете, что вы должны все это терпеть, то это ваш выбор, но вы же сами понимаете, что после того, как вас до такой степени обесценили, вас вряд ли уже начнут ценить. А ведь вы еще можете быть любимы и радовать своей интеллигентностью какое-нибудь одинокое женское сердце, а у нас их так много, что даже страшно об этом писать. Сколько женщин страдают от того, что они живут одни, и сетуют на то, что многие мужчины уже давно и надежно женаты, ужиная в одиночестве и ложась в холодную и одинокую постель. Вот уже многие годы семейной жизни вы испытываете постоянный дискомфорт и напряжение. А ведь у нас всего одна жизнь, и, как мы хотим ее прожить, решаем только мы сами. Вы уже давно позабыли о том, что вам нравится, что не нравится, что вам хочется, что не хочется. Ваша жена слишком авторитарный и деспотичный человек, а может, стоит пожить своей жизнью, не испытывая такого эмоционального давления, которое дает вам ваша жена?

Олег Игоревич, вы держите в руках книгу «Курортный роман». Мне кажется, само название говорит за себя. Что вы думаете по этому поводу? А не устроить ли вам за столько лет небольшой праздник и не поехать ли на курорт? Мне кажется, что он сейчас вам необходим, как глоток свежего воздуха и бальзам на кровоточащие раны вашей души. А почему бы не сделать шаг наперекор вашей жене и, не спросив у нее разрешения, рвануть к морю или взять путевку в какой-нибудь санаторий? Если вы не обладаете достаточными средствами, то поезжайте дикарем, так намного дешевле. Или возьмите тур выходного дня в ближайший и недорогой дом отдыха. Олег Игоревич, вы слишком рано говорите о том свете, ведь вы в самом расцвете сил и при желании сможете обратить на себя внимание спокойной и заботливой женщины. О каких кризисных центрах мы пытаемся с вами рассуждать? Вы же мужчина, так почему бы не открыть свое сердце для любви и не побояться внезапно нахлынувшего на вас чувства? Устройте себе небольшой отдых, который обязательно реабилитирует вашу душу. И уж если вам сейчас не до отдыха, то просто выйдите на улицу и улыбнитесь понравившейся вам одиноко идущей и усталой женщине. Я уверена, что она ответит вам взаимной улыбкой. Даже в 55 лет все только начинается. Не бывает возраста, при котором уже поздно менять свою жизнь. Жду ваших впечатлений о вашем курортном романе и буду надеяться, что он не закончится на курорте, потому что вы вдруг почувствуете, что вы сможете сделать какую-то женщину счастливой хотя бы потому, что будете всегда с ней рядом, а она будет это ценить. Вы и представить себе не можете, как много женщин умеют ценить того, кто находится просто рядом... Счастья вам, любви и взаимопонимания.

*С УВАЖЕНИЕМ. ЮЛИЯ ШИЛОВА.*

2. ЮЛЕНЬКА, Я ТУТ ПОСПОРИЛА СО СВОИМ ДРУГОМ, КОТОРЫЙ, ЗНАЯ МОЙ СИЛЬНЫЙ ХАРАКТЕР, ЗАЯВЛЯЕТ МНЕ О ТОМ, ЧТО ЕСЛИ СИЛЬНАЯ ЖЕНЩИНА ЛЮБИТ, ТО ОНА ДОЛЖНА ЗАБЫТЬ ПРО СВОЮ СИЛУ И БЫТЬ ВЕДОМОЙ. А ЧТО ВЫ ДУМАЕТЕ ПО ЭТОМУ ПОВОДУ?

*ДИНА, 27 ЛЕТ. КУРСК.*

Дорогая Дина, я считаю, что женщина вообще никому ничего не должна, кроме своих родителей и детей. Говорят, что сила женщины в ее слабости, что нужно давать мужчине чувствовать себя лидером. Но это умеет не каждая женщина, иногда просто не получается быть лояльной. Мое мнение состоит в том, что если мужчина хочет построить свою жизнь с сильной женщиной, то он должен понять и принять ее силу. У нас достаточно ведомых женщин, но вряд ли это жизненное утверждение подойдет для сильной женщины. Сильная женщина привыкла полагаться на себя и на свои силы, и еще неизвестно, в какие дебри ее сможет завести мужчина, предлагая ей стать ведомой. По идее, рядом с сильной женщиной должен быть сильный и успешный мужчина, но найти такого достаточно трудно. Довольно часто ей встречается слабый мужчина, совершенно несостоятельный, который пользуется ее достижениями и сваливает свою несостоятельность на женские плечи, делая ее виноватой. Чтобы отношения с сильной женщиной были долгими, ей должен встретиться инициативный и самостоятельный мужчина. Я думаю, что в любви никто никому ничего не должен. Любящие друг друга люди должны воспринимать друг друга такими, как они есть. Если женщина — сильная личность, то мужчина должен научиться принимать ее силу. Если она слаба, то он должен полюбить ее слабость. Любовь оправдывает все.

*С УВАЖЕНИЕМ. ЮЛИЯ ШИЛОВА.*

3. ЮЛЕЧКА, ПОДСКАЖИТЕ, КАК МНЕ НАУЧИТЬСЯ НЕ РЕАГИРОВАТЬ НА ЗЛОБНЫЕ УСМЕШКИ И НЕ ВОСПРИНИМАТЬ ТАК БОЛЕЗНЕННО КРИТИКУ, СКАЗАННУЮ В МОЙ АДРЕС?

*АНЕЧКА. 17 ЛЕТ.*

Милая Анечка, для того, чтобы перестать воспринимать болезненно критику в свой адрес и не обращать внимания на различные усмешки, нужно просто полюбить себя. Если вы будете знать себе цену, верить в себя и собственное провидение, то никто и никогда не сможет подорвать вашу самооценку. Вы должны быть уверены в собственных силах. Ведь если кто-то говорит про вас плохо, то это не конец света, это всего лишь испытание вашей стойкости. Если вы начнете в себе сомневаться, то вас начнут преследовать неудачи. Никогда не поддавайтесь провокации. Приучите себя равнодушно относиться к любому сказанному в ваш адрес негативу. Представьте себе, что вы защищены огромным и прочным панцирем. До вас невозможно достучаться. Я понимаю, что это сложно, но все же научитесь жить и не обращать внимания на все то, что способно вам отравить вашу жизнь. У вас нет возможности повлиять и исправить ситуацию, поэтому лучший выход к ней просто привыкнуть. В жизни каждого человека встречается слишком много завистников и недоброжелателей, постарайтесь простить людям эти недостатки, потому, что зависть — само по себе ущербное чувство и говорит о комплексе неполноценности данного человека. Пожалейте их и порадуйтесь за себя. Чем лучше у вас будет все получаться, чем больше побед и поставленных целей вы будете добиваться, тем будет хуже вашим завистникам, и к этому надо привыкнуть. Если они вам завидуют, значит, есть чему.

А злобные усмешки и критика... Так это проблемы тех, кто вас критикует, но ни в коем случае не ваши. Ведь вы не опускаетесь до подобной низости, вы выше, умнее и красивее. Зачем вам проблемы ваших критиков? У вас, наверно, своих по горло.

*С НАИЛУЧШИМИ ПОЖЕЛАНИЯМИ.*
*ЮЛИЯ ШИЛОВА.*

4. МОЯ ЛЮБИМАЯ ЮЛИЯ, ЗНАЕТЕ, А Я НЕ ПОБОЮСЬ СКАЗАТЬ, ЧТО Я ВАС ОЧЕНЬ СИЛЬНО ЛЮБЛЮ, ПОТОМУ ЧТО ЧИТАЮ ВАС НА ПРОТЯЖЕНИИ НЕСКОЛЬКИХ ЛЕТ И ПЕРЕЧИТЫВАЮ ВАШИ КНИГИ ПО НЕСКОЛЬКУ РАЗ. У МЕНЯ ЕСТЬ ВСЕ ВАШИ КНИГИ, И Я ВСЕГДА ЖДУ, КОГДА ЖЕ ВЫЙДУТ НОВЫЕ. ЮЛИЯ, Я ЗАМУЖЕМ, НО Я БОЛЬШЕ ТАК НЕ МОГУ. Я НА ГРАНИ НЕРВНОГО СРЫВА. У МЕНЯ ПОСТОЯННЫЕ ИСТЕРИКИ. ДЕЛО В ТОМ, ЧТО Я ЗАМУЖЕМ ЗА МАМЕНЬКИНЫМ СЫНОЧКОМ. ДУМАЮ, ВАМ НЕ СТОИТ ОБЪЯСНЯТЬ, ЧТО ЭТО ТАКОЕ. ЭТО СУЩИЙ КОШМАР. МУЖИКУ ТРИДЦАТЬ ПЯТЬ ЛЕТ, А У НЕГО ЧЕРЕЗ СЛОВО «МАМА, ДА МАМА». СНАЧАЛА МЫ ВСЕ ЖИЛИ ВМЕСТЕ, ТАК ЭТА МАМА ПРОСТО МОРАЛЬНО МЕНЯ УБИВАЛА, А СЫНОЧЕК ВО ВСЕМ ЕЙ ПОМОГАЛ.ЗАТЕМ МЫ СНЯЛИ ОТДЕЛЬНУЮ КВАРТИРУ, И ТУТ НАЧАЛОСЬ: «МАМА НЕ ТАК ГОТОВИТ КАШУ. МАМА БЫ НАМНОГО ЛУЧШЕ ПОГЛАДИЛА МОЮ РУБАШКУ. У МОЕЙ МАМЫ НА КУХНЕ ВСЕГДА ПОРЯДОК, А У ТЕБЯ НЕТ». МОЖЕТ, В ЧЕМ-ТО ОН ДЕЙСТВИТЕЛЬНО ПРАВ И У ЕГО МАМЫ НА КУХНЕ ВСЕГДА ИДЕАЛЬНЫЙ ПОРЯДОК, НО ВЕДЬ ЕГО МАМА НА ПЕНСИИ, А Я ВКАЛЫВАЮ С УТРА ДО НОЧИ НА РАБОТЕ ДЛЯ ТОГО,

чтобы оплатить квартиру, которую мы сняли, чтобы не жить с мамой. Вы сами знаете, сколько сейчас стоят квартиры. Мать моего мужа постоянно бегает на нашу квартиру, якобы ей одной очень скучно, и проверяет, чем я кормлю ее драгоценного сына, как мою посуду, хорошо ли выстирала его вещи. Я больше не могу это терпеть и сказала мужу, чтобы его мать прекратила к нам приходить и дала нам спокойно жить, но муж говорит, чтобы я просто не обращала на нее внимание. А как я могу не обращать на нее внимание, если я прихожу усталая с работы, а она начинает меня отчитывать или просто позорить при муже? Я уже напрямую ему говорю: выбирай — или я — или она, а он смеется, смотрит на часы и говорит: «Что-то мамы долго нет. Так хочется ее вареников. Она обещала сегодня меня ими покормить». Вы можете себе это представить? И этому мужчине тридцать пять лет. А если его мама придет кормить его варениками, то она будет смотреть на меня, как на врага народа, и в мой огород полетит столько колкостей. Дело в том, что я узнала, что жду ребенка. Сказала эту долгожданную новость своему мужу. Естественно, он тут же позвонил своей маме. Она прибежала и

УСТРОИЛА ТАКОЕ... СКАЗАЛА, ЧТО ЕЕ СЫНУ ЕЩЕ РАНО ИМЕТЬ ДЕТЕЙ, ЧТО ЕСЛИ Я ХОЧУ РОЖАТЬ, ТО ОНА БУДЕТ КОНТРОЛИРОВАТЬ, ЧТОБЫ Я НЕ ОБРЕМЕНЯЛА ЕГО НИ СТИРКОЙ ПЕЛЕНОК, НИ ГОТОВКОЙ. ЯКОБЫ ЕЕ МАЛЬЧИК САМ ЕЩЕ РЕБЕНОК. ЗА НИМ УХОД НУЖЕН. ОНА ДАЖЕ ПРЕДЛОЖИЛА СДЕЛАТЬ МНЕ АБОРТ. А САМОЕ ГЛАВНОЕ, ЧТО ЭТОТ ТРИДЦАТИПЯТИЛЕТНИЙ МАЛЬЧИК ДАЖЕ НЕ ЗАКРЫЛ ЕЙ РОТ И ГОВОРИТ ВСЕГО ОДНУ ЗАЕЗЖЕННУЮ ФРАЗУ: «НЕ ОБРАЩАЙ ВНИМАНИЕ».ЮЛИЯ, Я БОЛЬШЕ ТАК НЕ МОГУ. ЧТО МНЕ ДЕЛАТЬ? РАЗВЕСТИСЬ И РАСТИТЬ СВОЕГО РЕБЕНКА ОДНОЙ? ЮЛИЯ, А В ВАШЕЙ ЖИЗНИ ВСТРЕЧАЛИСЬ МАМИНЫ СЫНКИ И КАК ВЫ С НИМИ ПОСТУПАЛИ?

*ЛИЛИЯ,26 ЛЕТ, г. ХАБАРОВСК.*

Дорогая Лилия, я очень прочувствовала вашу ситуацию и могу представить, как же вам тяжело. И все же нужно взять себя в руки и прекратить нервные срывы, ведь вы же носите под сердцем долгожданного ребеночка. Выйти замуж за маминого сынка — это тяжелая ноша для женщины, потому что, что бы вы ни делали, как бы вы ни старались, вы все будете делать неправильно и вряд ли сможете угодить его маме по одной банальной причине: потому что рядом со своим сыном она бы хотела видеть совсем другую женщину, но только не вас.

Лилия, как сложится ваша дальнейшая жизнь, решать только вам самой. Я не имею права давать вам совет, потому что ваша ситуация слишком серьезная, и только вам одной нужно решить, как вам жить дальше. И все же я считаю, что вы должны быть более прямолинейны и бескомпромиссны, потому что для вас сейчас важно ваше спокойствие и здоровье вашего будущего ребенка. В конце концов, вы беременны, а любая беременная женщина имеет право на капризы. Если маме вашего мужа скучно одной, то он всегда сможет к ней приехать, поесть у нее вареников и поговорить о насущных проблемах. Пусть это будет вашим условием. Вы же не запрещаете вашему мужу видеться со своей мамой. Вы просто настаивайте на том, чтобы их встречи проходили на ее территории.

Как много матерей, которые калечат своим сыновьям жизнь, рушат семьи, оставляя своих внуков без родных отцов. Зачастую матери сами подбирают невест своим сыновьям и не одобряют их самостоятельный выбор. У этих матерей свое понятие о счастье своего сына. Они действительно хотят, чтобы их сыновья были счастливыми, но только на свой лад. Чаще всего это происходит тогда, когда женщина растила сына одна, давала ему все самое лучшее, а затем он вырос, но она не может представить себе, как о ее сыне теперь будет заботиться чужая женщина. Ей всегда будет казаться, что она не достойна ее сына, что он недоедает и плохо выглядит. Есть такое понятие «замужем за собственным сыном». Если я правильно поняла, то у вашей свекрови нет мужа, и поэтому все те чувства и всю ту заботу, которую она должна отдавать своему мужу, она отдает своему сыну. Таким матерям тяжело понять, что их сыновья уже давно стали взрослыми, что в тридцать пять лет он уже давно не мальчик, а мужчина, которые вправе иметь свое мнение и свои взгляды на жизнь. Ваша свекровь привыкла, что сердце ее сына всегда было занято только одной женщиной, это ею самой. Она не может смириться с тем, что в его сердце поселилась любовь, и в ней играет настоящая ревность.

Для того чтобы спасти подобные браки, многие пары уезжают в другие города, и их действительно спасает ощущение физического расстояния. Я не знаю, есть ли у вас такая возможность. Ведь часто расстояния стирают все разногласия между людьми, и они забывают многочисленные обиды и ссоры. Вашему мужу было бы полезно пожить в том городе, где нет его мамы.

В любом случае вам нужно подумать о себе и о своем ребеночке тоже. Если визиты вашей свекрови вас сильно изматывают, то вам лучше всего их прекратить, и вы имеете на это полное право, потому что свекровь своими руками рушит вашу семейную жизнь. Объясните вашему мужу, что если мать его любит и желает счастья своему сыну, то она должна немедленно прекратить вмешиваться в вашу жизнь и позволить своему великовозрастному сыну жить своей, самостоятельной жизнью, не выставляя его жене каких-либо условий и требований.

Возможно, вы опасаетесь ситуации, когда муж соберет свои вещи и уйдет к матери для того, чтобы пожизненно есть у нее вареники. Лилия, если он вас любит, он останется с вами и разделит с вами все заботы о вашем будущем ребенке. А быть может, рождение внука или внучки заставит вашу свекровь пересмотреть свои взгляды и направить всю свою любовь на вашего ребенка, понять, наконец, что ее сын уже вырос и даже стал папой.

Одним словом, как вам жить дальше, решать только вам, но не забывайте о том, что теперь вы не одна. Вы будущая мама, и вашему ребенку противопоказаны любые стрессы, истерики и нервные срывы. Если ваш супруг не в состоянии обеспечить вам спокойную жизнь, то позаботьтесь о себе сами. У вас для этого есть все возможности, ведь вы же живете не в квартире свекрови, а в той, за которую платите из своего кармана.

Много лет назад мне тоже встретился мамин сынок, который метался между двух огней, это между мной и своей мамой. Его мать не могла простить сыну того, что он осмелился полюбить провинциалку, девушку из далекого Приморья, которая, по ее меркам, категорически не подходила ее сыну. Она имела над сыном слишком сильную власть и напрямую говорила мне о том, что хочет видеть рядом с сыном девушку своего круга. А однажды я устала бороться и поняла, что у меня на это больше нет ни сил, ни желания. Я смогла собрать всю свою волю в кулак и исчезла из чужой жизни, поняв, что мне нужно устраивать свою собственную. Прошло много лет, и я до сих пор благодарна своей судьбе за то, что она тогда сберегла меня от участи жить с человеком, который бы никогда не смог меня оценить.

Дорогая Лилия, я искренне желаю вам разобраться в столь сложной ситуации и надеюсь, что все образуется и вы примете правильное решение. Помните, что женщина должна играть в отношениях с мужчинами первую скрипку и что вы всегда достойны лучшей участи. Берегите себя, ведь теперь вы не одна, а это значит, что вы должны делать все возможное для того, чтобы родить здорового и красивого малыша. Жду от вас весточки и верю, что у вас сложится все хорошо.

*ВАШ ДРУГ. ЮЛИЯ ШИЛОВА.*

Литературно-художественное издание

**Шилова Юлия Витальевна**

**КУРОРТНЫЙ РОМАН,
ИЛИ ЗВЕЗДА СОМНИТЕЛЬНОГО СЧАСТЬЯ**

Ответственный редактор *И. Лазарев*
Редактор *А. Ежихина*
Художественный редактор *В. Щербаков*
Художники *В. Петелин, Ю. Щербаков*
Технический редактор *О. Куликова*
Компьютерная верстка *Е. Мельникова*
Корректор *Н. Хаустова*

ООО «Издательство «Эксмо»
127299, Москва, ул. Клары Цеткин, д. 18/5. Тел.: 411-68-86, 956-39-21.
Home page: **www.eksmo.ru** E-mail: **info@eksmo.ru**

***Оптовая торговля книгами «Эксмо» и товарами «Эксмо-канц»:***
ООО «ТД «Эксмо». 142700, Московская обл., Ленинский р-н, г. Видное,
Белокаменное ш., д. 1, многоканальный тел. 411-50-74.
E-mail: **reception@eksmo-sale.ru**

***Полный ассортимент книг издательства «Эксмо» для оптовых покупателей:***
**В Санкт-Петербурге:** ООО СЗКО, пр-т Обуховской Обороны, д. 84Е.
Тел. отдела реализации (812) 265-44-80/81/82.
**В Нижнем Новгороде:** ООО ТД «Эксмо НН», ул. Маршала Воронова, д. 3.
Тел. (8312) 72-36-70.
**В Казани:** ООО «НКП Казань», ул. Фрезерная, д. 5. Тел. (8435) 70-40-45/46.
**В Самаре:** ООО «РДЦ-Самара», пр-т Кирова, д. 75/1, литера «Е». Тел. (846) 269-66-70.
**В Екатеринбурге:** ООО «РДЦ-Екатеринбург», ул. Прибалтийская, д. 24а.
Тел. (343) 378-49-45.
**В Киеве:** ООО ДЦ «Эксмо-Украина», ул. Луговая, д. 9. Тел./факс: (044) 537-35-52.
**Во Львове:** Торговое Представительство ООО ДЦ «Эксмо-Украина», ул. Бузкова, д. 2.
Тел./факс (032) 245-00-19.

***Мелкооптовая торговля книгами «Эксмо» и товарами «Эксмо-канц»:***
117192, Москва, Мичуринский пр-т, д. 12/1. Тел./факс: (095) 411-50-76.
127254, Москва, ул. Добролюбова, д. 2. Тел.: (095) 745-89-15, 780-58-34.
Информация по канцтоварам: **www.eksmo-kanc.ru** e-mail: **kanc@eksmo-sale.ru**

***Полный ассортимент продукции издательства «Эксмо»:***
**В Москве в сети магазинов «Новый книжный»:**
Центральный магазин — Москва, Сухаревская пл., 12 . Тел. 937-85-81.
Информация о магазинах «Новый книжный» по тел. 780-58-81.
**В Санкт-Петербурге в сети магазинов «Буквоед»:**
«Магазин на Невском», д. 13. Тел. (812) 310-22-44.



Подписано в печать 28.11.2005.
Формат 84x108 1/32. Гарнитура «Таймс».
Печать офсетная. Бумага тип. Усл. печ. л. 20,16. Уч.-изд. л. 11,3.
Тираж 20 000 экз. Заказ № 4502760.

Отпечатано с готовых монтажей
на ФГУИПП «Нижполиграф».
603006, Нижний Новгород, ул. Варварская, 32.